IPAD mini

W9-CNB-913

IPAD mini

Gary Rosenzweig

ANAYA
MULTIMEDIA

TÍTULOS ESPECIALES

TÍTULO DE LA OBRA ORIGINAL:
My iPad mini

TRADUCTOR:
Vicente González León

Todos los nombres propios de programas, sistemas operativos, equipos hardware, etc. que aparecen en este libro son marcas registradas de sus respectivas compañías u organizaciones.

Edición española:

© EDICIONES ANAYA MULTIMEDIA (GRUPO ANAYA, S.A.), 2013
Juan Ignacio Luca de Tena, 15. 28027 Madrid
Depósito legal: M-5184-2013
ISBN: 978-84-415-3348-6
Printed in Spain

AGRADECIMIENTOS

Gracias, como siempre, a mi esposa Debby y a mi hija Luna. Gracias también al resto de mi familia: Jacqueline Rosenzweig, Jerry Rosenzweig, Larry Rosenzweig, Tara Rosenzweig, Rebecca Jacob, Barbara Shifrin, Richard Shifrin, Barbara H. Shifrin, Tage Thomsen, Anne Thomsen, Andrea Thomsen y Sami Balestri.

Gracias a toda la gente que ve el programa y participa en el sitio Web de MacMost.

Gracias a toda la gente de la editorial que ha trabajado en este libro: Laura Norman, Lori Lyons, Tricia Bronkella, Kathy Ruiz, Kristy Hart, Cindy Teeters, Anne Jones y Greg Wiegand.

SOBRE EL AUTOR

Gary Rosenzweig es emprendedor de Internet, desarrolla aplicaciones y escribe sobre temas de tecnología. Dirige CleverMedia, Inc., que produce sitios Web, juegos de ordenador y podcasts.

El mayor de los sitios de CleverMedia, MacMost.com, contiene tutoriales en vídeo para los entusiastas de Apple, incluyendo muchos vídeos sobre el uso de los distintos Mac, iPhone e iPad.

Gary ha escrito varios libros sobre Action Script y el mundo Mac.

Vive en Denver, Colorado, con su mujer Debby y su hija Luna. Es graduado en informática por la *Drexel University* y posee un Máster en Periodismo de la *University of North Carolina* de Chapel Hill.

Sitio Web: http://garyrosenzweig.com.

Twitter: http://twitter.com/rosenz.

Índice de contenidos

Objetivos:

En este capítulo
aprenderá a realizar tareas
específicas en su iPad
para familiarizarse
con la interfaz:

El iPad y su evolución.

Los botones e interruptores
del iPad mini.

Gestos de pantalla.

Las pantallas
del iPad mini.

Interactuar con
el iPad mini.

Cómo utilizar Siri.

1. Introducción

Antes de aprender a realizar tareas específicas en su iPad mini, debería familiarizarse con la interfaz. Si ha utilizado un iPhone o un iPod touch, ya conoce lo básico. Pero si el iPad mini es su primer dispositivo de pantalla táctil, deberá tomarse su tiempo para acostumbrarse a interactuar con él.

EL IPAD Y SU EVOLUCIÓN

Ha habido varias generaciones de iPads, a las que progresivamente se añadían nuevas características y funcionalidades. Son muy similares, y todos los modelos más recientes pueden ejecutar los mismos SO y aplicaciones. Le resultará útil saber cómo es su iPad mini en comparación con el resto de la línea de productos.

Generaciones de iPads

La tabla 1.1 muestra las principales diferencias entre estos iPads:

Todos los iPad tienen una pantalla que utiliza una proporción de 3 por 4. Todas se comportan como si la pantalla fuera de 8 por 1.024 píxeles, como el iPad, el iPad 3 y su iPad mini. Algunos iPads, como los de 3ª y 4ª generación, llevan una pantalla Retina Display que realmente tiene 1.536 por 2.048 píxeles. En ellas caben los mismos contenidos en que su iPad mini pero muestran un mayor nivel de detalle en las fotografías, textos y gráficos.

Otra diferencia entre los distintos iPads son las cámaras. El iPad original no tenía ninguna cámara. Las generaciones 2ª y 3ª tenían cámaras pero los más recientes, como el iPad mini, tienen una cámara frontal capaz de obtener una resolución mucho mayor en fotos y vídeos.

Tabla 1.1. Tabla de comparación de iPad

	IPAD	IPAD2	3ª GENERACIÓN	4ª GENERACIÓN	IPAD MINI
Fecha de lanzamiento	Abril de 2010	Marzo de 2011	Marzo de 2012	Noviembre de 2012	Noviembre de 2012
Peso	700 g	600 g	650 g	650 g	300 g
Grosor	1,35 cm	0,86 cm	0,94 cm	0,94 cm	0,71 cm
Diagonal de la pantalla	9,7''	9,7''	9,7''	9,7''	7,9''
Resolución de la pantalla	768x1024	768x1024	1536x2048 Retina	1536x2048 Retina	768x1024
Cámara con objetivo frontal	No	0.3 MP/VGA	0.3 MP/VGA	1.2 MP/720 p HD	1.2 MP/720p HD
Cámara con objetivo trasero	No	0.7 MP/720 p	5 MP/1080 p	5 MP/1080 p	5 MP/1080 p
Procesador	A4	A5	A5X	A6X	A5
Conector	30 pines	30 pines	30 pines	Lightning	Lightning
Compatible con Siri			X	X	X
Conexión opcional con móvil	2G/3G	2G/3G	2G/3G/4G	2G/3G/4G	2G/3G/4G
Compatible con iOS 6		X	X	X	X

Otro aspecto que ha ido aumentando con cada iPad es la potencia, gracias a un procesador más rápido. El iPad mini tiene el procesador A5 dual-core, que proporciona la capacidad de trabajar con dictados de voz y de reproducir hermosos gráficos en los juegos.

iOS6

El componente de software principal del iPad es el sistema operativo, conocido como iOS. Esto es lo que se ve al desplazarse por las pantallas de iconos del iPad y acceder a las distintas aplicaciones por defecto, como Mail, Safari, Fotos e iTunes.

Este libro cubre la versión 6.0, lanzada en septiembre de 2012. Ha habido seis generaciones del software que ejecuta los iPhones y los iPads. El SO original del iPhone se desarrolló para el primer iPhone. La tercera versión, iOS 3, funcionaba tanto en los iPhones como en el iPad. Esta última versión, iOS6, funciona en el iPad 2 y en los dispositivos más recientes, como el iPad mini.

LOS BOTONES Y LOS INTERRUPTORES DEL IPAD MINI

El iPad incluye un botón de **Inicio**, un botón **Reposo/Activación**, un control de volumen y un interruptor lateral.

Botón Reposo/Activación

Interruptor lateral

Control de volumen

Botón de inicio

El botón de **Inicio** es probablemente el control físico más importante del iPad y el que utilizará con más frecuencia. Si pulsa el botón de **Inicio** cuando esté dentro de una aplicación como Safari o Mail, regresará a la pantalla de inicio del iPad, desde la que podrá ejecutar otra aplicación. También puede hacer una pulsación doble sobre el botón de **Inicio** para ver los iconos de las demás aplicaciones y los controles de reproducción de audio y vídeo sin abandonar la aplicación actual.

¿Dónde está el botón Salir?

Las aplicaciones para iPad que ofrecen un medio para salir de ellas son pocas o ninguna. Considere el botón de **Inicio** como su botón **Salir.** Cierra la aplicación actual y le devuelve a su pantalla de inicio. La aplicación se seguirá ejecutando en segundo plano, aunque en pausa. Le comentaremos cómo salir completamente de una aplicación en el capítulo 15.

El botón Reposo/Activación

La función principal del botón **Reposo/Activación** (llamado a veces botón **Encendido/Apagado**) de la parte superior de su iPad es hacer que pase a modo reposo rápidamente. El modo reposo no equivale a apagar el dispositivo; cuando está en modo reposo, puede activarlo al instante para utilizarlo. Para ello, sólo tiene que pulsar de nuevo botón **Reposo/Activación** o pulsar el botón **Inicio**.

El botón **Reposo/Activación** también se puede utilizar para apagar su iPad, que es lo aconsejable si va a dejar de utilizarlo durante un buen rato y no quiere gastar batería. Si lo mantiene pulsado durante unos segundos, el iPad comenzará a cerrarse y a apagarse. Para confirmar que quiere apagarlo, utilice el botón **Apagar** que aparecerá en la pantalla.

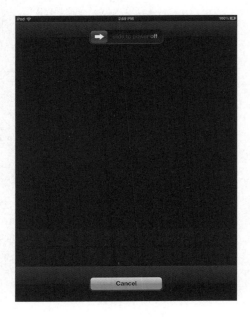

Para arrancar su iPad, mantenga pulsado el botón **Reposo/Activación** durante unos segundos hasta que vea aparecer algo en la pantalla.

¡Cu-cu!

Si utiliza la funda Smart Cover para iPad mini (véase el capítulo 18), su iPad pasará a modo reposo cada vez que la cierre y se activará cuando la abra, siempre que siga teniendo la configuración por defecto.

¿Cuándo debería apagar mi iPad mini?

Lo normal es no apagarlo nunca. En modo reposo, con la pantalla apagada, gasta poca energía. Si lo enchufa a la corriente de noche o durante largos periodos en los que no lo lleve consigo, ni siquiera tendrá que llegar a apagarlo.

El control de volumen

El control lateral de volumen de su iPad mini consta realmente de dos botones: uno para subir el volumen y otro para bajarlo.

Su iPad mantiene en memoria dos ajustes de volumen independientes: uno para auriculares y otro para los altavoces internos. Si baja el volumen cuando utiliza auriculares y luego los desconecta, el volumen pasará a reflejar los últimos ajustes utilizados cuando los auriculares no estaban conectados, y viceversa. La pantalla mostrará el icono de un altavoz para indicar el nivel de volumen.

El interruptor lateral

El interruptor lateral de su iPan puede hacer dos cosas: Se puede configurar para silenciar el sonido o para bloquear la orientación. Puede escoger la función que realizará en la configuración de su iPad, como veremos en el capítulo 2.

Si decide utilizarlo como interruptor para silenciar, cuando esté en la posición de apagado, el dispositivo no emitirá ningún sonido. Cuando lo haga, verá que en el centro de la pantalla aparece durante un instante un icono de un altavoz; si no es así, es porque acaba de desactivar el modo silencio. Ésta es la configuración por defecto de este interruptor en el iPad mini.

Si decide utilizarlo como bloqueador de la orientación, hará algo completamente diferente. Su iPad tiene dos modos de pantalla principales: vertical y horizontal. Casi todas las aplicaciones se pueden utilizar en ambas orientaciones. Por ejemplo, si descubre que una página Web es demasiado ancha para que quepa en la pantalla en una orientación vertical, puede poner el iPad de lado para que la vista cambie a la orientación horizontal.

Cuando no quiera que el iPad reaccione a su orientación, cambie el interruptor lateral de posición de modo que se muestre el punto naranja, que impide que cambie la orientación. Cuando necesite desbloquearlo, sólo tiene que moverlo a la otra posición.

Esto es muy útil en muchas situaciones. Por ejemplo, si está leyendo un ebook en la cama o en el sofá, probablemente prefiera verlo en orientación vertical aunque el iPad esté de lado.

Orientación y movimiento

Ya sé que le dije que su iPad sólo tenía cuatro controles físicos pero hay uno más: el iPad en sí.

Su iPad sabe qué orientación tiene y sabe si lo están moviendo. La indicación más sencilla de esto es que sabe si lo están sosteniendo verticalmente con el botón de **Inicio** en la parte inferior, u horizontalmente con el botón de **Inicio** a uno de los lados. Algunas aplicaciones, en especial los juegos, utilizan la orientación de pantalla exacta del iPad para mover los elementos y las vistas en la pantalla.

¡Agítelo!

Un gesto físico interesante que puede hacer es agitar el iPad. Como puede detectar los movimientos, puede sentir cuando lo están agitando. Hay muchas aplicaciones que sacan partido de esta funcionalidad y la utilizan para aplicar una acción, como por ejemplo mezclar las canciones de la aplicación Música o borrar un lienzo de dibujo.

GESTOS DE PANTALLA

¿Quién iba a decir hace unos años que íbamos a controlar dispositivos informáticos tocando, pellizcando o deslizando con los dedos en vez de arrastrando, pulsando teclas y haciendo clic? Los dispositivos de pantalla táctil como el iPhone, el iPod Touch, y el iPad han agregado un nuevo vocabulario a la interacción entre humanos y ordenadores.

Pulsar y tocar

Como no tienen ratón, las pantallas táctiles no tienen cursor. Cuando su dedo no está sobre la pantalla, no hay ninguna flecha que apunte a nada. Cuando toca la pantalla una vez con rapidez, a ese gesto se le suele denominar "toque" o "pulsación". Lo normal es pulsar sobre un objeto para realizar una acción.

En ocasiones, necesitará hacer una pulsación doble, dos golpecitos rápidos sobre el mismo sitio. Por ejemplo, una pulsación doble sobre una imagen de una página Web hará un zoom sobre la imagen, y con otra pulsación doble alejará la imagen.

Pellizcar

La pantalla del iPad es multitoque, lo que significa que puede detectar más de un toque al mismo tiempo. Esta capacidad se utiliza continuamente mediante el gesto de pellizco.

Un pellizco ("juntar los dedos") consiste en tocar la pantalla con el pulgar y el índice, moviendo el uno hacia el otro, como el gesto de un pellizco. También puede pellizcar a la inversa, separando los dedos.

Un ejemplo del uso de este gesto podría ser hacer zoom para ampliar o alejar una página Web o una fotografía.

Arrastrar y deslizar

Si toca la pantalla y mantiene el dedo presionando, podrá arrastrarlo en cualquier dirección. El efecto de esta acción es mover el contenido por la pantalla.

Por ejemplo, si visualiza una página Web grande y arrastra arriba o abajo, la página se desplazará. En ocasiones, las aplicaciones permiten arrastrar también el contenido a izquierda y derecha.

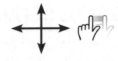

¿Y qué ocurre si tenemos una página Web larga o una lista de elementos dentro de una aplicación? En lugar de arrastrar a lo largo de toda la pantalla, levantar el dedo y moverlo hasta la parte inferior para volver a arrastrar, puede "deslizarlo". Deslizar es como arrastrar pero realizando un movimiento rápido y levantando el dedo de la pantalla en el último momento para que el contenido se siga desplazando después de haber levantado el dedo. Puede esperar a que deje de deslizarse o tocar la pantalla para detener el movimiento.

Tirar hacia abajo para actualizar

Un gesto muy habitual es pulsar en una lista de elementos, arrastrar hacia abajo y soltar. Por ejemplo, esto es lo que haría en Mail para obtener los mensajes nuevos. O en Twitter para descargar los tuits nuevos. Muchas aplicaciones de Apple y de terceros utilizan este gesto para permitirle indicar que desea actualizar la lista de elementos. Así pues, si no ve ningún botón del tipo "actualizar", pruebe con este gesto.

Gestos de cuatro dedos

Puede realizar hasta tres funciones especiales utilizando a la vez cuatro o cinco dedos sobre la pantalla. Si coloca cuatro o cinco dedos sobre la pantalla y pellizca con todos a la vez, saldrá de la aplicación actual y regresará a la pantalla de inicio, igual que si hubiera pulsado el botón **Inicio**.

Puede hacer un barrido a izquierda o derecha utilizando cuatro o más dedos para pasar rápidamente de una aplicación a otra sin tener que regresar antes a la pantalla de inicio. Si hace un barrido con cuatro dedos, accederá a la barra multitarea. Hablaremos sobre esta barra en el capítulo 15.

PANTALLAS DEL IPAD MINI

A diferencia de la de los ordenadores, la pantalla del iPad sólo hace una cosa a la vez. Vamos a ver algunas de las pantallas típicas que verá mientras va conociendo su iPad.

La pantalla de bloqueo

El estado por defecto de su iPad cuando no lo está utilizando es la pantalla de bloqueo. Se trata simplemente de una imagen con la hora en la parte superior y un gran deslizador en la inferior, con la palabra Desbloquear y un único botón a su derecha que inicia una presentación de imágenes (véase el capítulo 9).

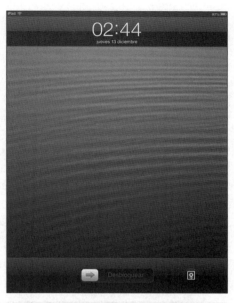

Al activar el iPad, lo que se muestra por defecto es la pantalla de bloqueo. Al mover el deslizador de desbloqueo, pasará a la pantalla de inicio o a la aplicación que estuviera utilizando cuando pasó a modo reposo.

La pantalla de inicio

La pantalla de inicio está estructurada como en una única pantalla que contiene varias páginas, donde cada página incluye varios iconos de aplicaciones. En la parte inferior de la pantalla hay iconos de aplicaciones que no cambian al pasar de página. Esta área recuerda al Dock de Mac OS X. El número de páginas de su pantalla de inicio dependerá del número de aplicaciones que tenga. El número de páginas que tenga viene indicado por los puntitos blancos que hay en la parte inferior de la pantalla, justo sobre los iconos de la base. El punto más claro representa la página que está viendo actualmente. Puede cambiar de página en la pantalla de inicio arrastrando o deslizando a izquierda o derecha.

A la izquierda de los puntos, hay una pequeña lupa para acceder a la pantalla de búsqueda. Hablaremos de ella en breve.

Una pantalla de aplicación

Cuando pulse sobre un icono de aplicación en la pantalla de inicio, ejecutará dicha aplicación del mismo modo en que lo haría en su ordenador. La aplicación ocupará la pantalla completa.

En ese momento, su pantalla podría tener cualquier apariencia. Por ejemplo, si ha iniciado Safari, se verá una página Web. Si ejecuta Mail, verá una lista de su nuevo correo o un único mensaje de entrada.

La pantalla de búsqueda

Si está en su pantalla de inicio, viendo la página uno de los iconos de sus apps, puede arrastrar hacia la derecha para acceder a la pantalla de búsqueda, que tiene un campo de búsqueda de iPad en la parte superior y un teclado en la inferior.

Puede escribir cualquier cosa para buscar un contacto, una app, un mensaje de correo, una foto, etc. No tiene que especificar el tipo de cosa que está buscando.

1. Desde la pantalla de inicio, arrastre a la izquierda para acceder a la pantalla de búsqueda.

2. Escriba un término de búsqueda utilizando el teclado en pantalla.

3. Verá una lista de los elementos de su iPad que coinciden con el término de búsqueda. Pulse sobre el botón **Buscar** del teclado para cerrarlo y finalizar la búsqueda.

4. Pulse en la X del campo de búsqueda para limpiar los datos y empezar de nuevo.

5. Pulse en cualquiera de los elementos para acceder a la app apropiada y visualizar el contenido.

La pantalla de ajustes

Una de las aplicaciones que vienen por defecto en su iPad es la aplicación Ajustes. Con ella puede controlar muchas de las preferencias básicas del dispositivo (véase el capítulo 2 para saber más sobre los ajustes de personalización).

Aunque en realidad es otra pantalla de aplicación, vale la pena dedicarle una sección aparte, pues la necesitará para personalizar la mayoría de los aspectos de su iPad.

INTERACTUAR CON EL IPAD MINI

Vamos a examinar los diferentes tipos de elementos de interfaz de pantalla, el teclado en pantalla y su uso, y las interacciones especializadas como la edición de texto y las acciones de copiar y pegar.

Elementos de interfaz comunes

Hay varios elementos de interfaz que son más complejos que un simple botón. Siguiendo el estilo típico de Apple, estos elementos suelen explicarse por sí mismos pero, si nunca antes ha utilizado un iPhone o un iPod, puede que alguno le deje pensativo.

Deslizadores

Un deslizador realmente no es más que un botón pero que no se pulsa, sino que se arrastra hacia la derecha para indicar que se desea realizar la acción. De este modo es más complicado iniciar ésta por accidente.

El ejemplo más obvio es el deslizador de la parte inferior de la pantalla de bloqueo. Si en su lugar hubiera un botón, quizá sería demasiado fácil desbloquear el iPad inadvertidamente.

Interruptores

Un interruptor es como un botón sencillo pero al que basta con tocar para activarlo. Un interruptor le indica el estado en el que se encuentra.

Por ejemplo, los interruptores le indican si la funcionalidad Ajuste de volumen de la app Música está activada o no. Al pulsar sobre un interruptor, se cambia su posición.

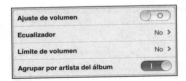

Barras de herramientas

Algunas aplicaciones tienen un conjunto de botones, que son controles generales, en una barra de herramientas en la parte superior de la pantalla. Dependiendo del modo de la aplicación, la barra de herramientas podría desaparecer o los botones podrían variar. Un ejemplo de barra de herramientas sería la de la aplicación iTunes.

Menús

Con frecuencia, al pulsar en un sólo botón de una
barra de herramientas, se muestran más botones
o una lista de opciones que son como los menús de
su Mac o PC. Las opciones de la lista suelen estar
relacionadas entre sí. Por ejemplo, hay un botón en
Safari que le ofrece muchas maneras diferentes de
compartir una página Web.

Barras de fichas

En ocasiones, verá una fila de botones en la parte
inferior de la pantalla que funciona de un modo
similar a las barras de herramientas pero donde cada botón representa un modo
diferente de la aplicación. Por ejemplo, en la parte inferior de la aplicación App
Store, verá una barra de fichas que se utiliza para cambiar entre varias listas de
apps: Destacados, Top charts, Genius, Comprado y Actualizar.

Cómo se utiliza el teclado en pantalla

El elemento de interfaz con el que
probablemente más vaya a interactuar
es el teclado en pantalla. Emerge
automáticamente de la parte inferior de la
pantalla cada vez que hace falta introducir
algún texto.

El teclado por defecto sólo tiene letras y los signos de puntuación más básicos.
Hay dos teclas que le permiten introducir letras mayúsculas. También lleva una
tecla de **Retroceso** y un **Intro**.

Si desea introducir números o algún otro
signo de puntuación, pulse la tecla **.?123**
para que el teclado cambie a otro modo que
sólo muestre números y signos.

Para volver a las letras, sólo tiene que
pulsar la tecla **ABC**. Si pulsa la tecla **#+=**,
accederá a un tercer teclado que incluye
signos de puntuación y símbolos menos
habituales.

Existen otras variantes del teclado. Por ejemplo, si escribe en un campo que requiere una dirección Web, se mostrará un teclado que carece de **Barra espaciadora** pero que incluye símbolos utilizados con frecuencia, como los dos puntos, barras, subrayados e incluso un botón **.com**. En lugar de una tecla **Intro**, quizá vea una tecla con una palabra que designa una acción, como **Buscar**. Al pulsar la tecla, se realizará la acción (buscar en la Web, en este caso). Todos los teclados incluyen un botón en la parte inferior que le permite ocultar el teclado si lo desea.

También puede dividir el teclado y/o apartarlo de la parte inferior de la pantalla. Sólo tiene que mantener pulsado el botón de la esquina inferior derecha con un pequeño icono de un teclado. Luego, seleccione Soltar o Dividir. La primera simplemente moverá el teclado hasta el centro de la pantalla. La segunda también lo hará pero dividirá el teclado en dos mitades. Después, podrá arrastrar el teclado arriba y abajo manteniéndolo pulsado por ese mismo icono y arrastrándolo. Arrástrelo hasta abajo del todo para acoplarlo de nuevo a la parte inferior. También puede dividir el teclado colocando dos dedos sobre éste y arrastrando para separarlos, y volverlo a unir arrastrando los dedos para juntarlos.

Dictar textos

Si tiene un iPad de 3ª generación, también puede dictar textos utilizando su voz en vez de utilizar el teclado. La mayoría de las veces que vea un teclado, debería ver también un pequeño botón con la imagen de un micrófono a la izquierda de la **Barra espaciadora**. Púlselo para empezar a hablarle a su iPad.

1. Siempre que se muestre el teclado por defecto, verá el botón del micrófono a la izquierda de la **Barra espaciadora**. Púlselo para empezar a dictar.

2. Del botón de dictado más pequeño emergerá un botón más grande. El color violeta que llena el micrófono mide el volumen de su voz. Cuando haya acabado de dictar, pulse este botón más grande para finalizar.

3. El botón grande desaparecerá cuando lo pulse, y en la posición del cursor de texto aparecerán tres puntos que cambiarán de color mientras su iPad transcribe el sonido. Sólo tiene que esperar a que la transcripción finalice.

Para obtener el mejor resultado, intente hablar de un modo más bien lento y claro, en segmentos del tamaño de una frase. Obviamente, esta funcionalidad no es perfecta. Preste atención al texto resultante de la transcripción y corrija los errores utilizando el teclado. Con el tiempo irá mejorando y hablará de un modo que minimice los errores.

Trucos de dictado

El botón de dictado aparecerá siempre que en una aplicación esté presente el teclado estándar. Puede utilizarlo en Notas, Recordatorios o cualquier otra app en la que tenga que escribir. Puede utilizarlo en campos de búsqueda y para introducir textos en la Web. Pero no puede utilizarlo en los teclados especializados, como los que se utilizan para las direcciones de correo electrónico, las URL de páginas Web, los números de teléfono, etc. Así pues, por ejemplo, podría utilizarlo en Safari para escribir en el campo de búsqueda pero no en el campo de la dirección Web.

Para que el dictado funcione necesita estar conectado a Internet. Su iPad envía el audio a los servidores de Apple que son los que se ocupan de la traducción y de devolver el texto a su iPad. Si no está conectado, no funcionará.

El dictado se basa en la configuración de idioma que haya realizado en Ajustes>General>Teclado>Teclados. No admite todos aunque Apple está constantemente agregando idiomas nuevos.

Puede indicar el final de una frase diciendo "punto" o "signo de interrogación". También puede decir de viva voz otros signos de puntuación, como "abrir comillas" o "coma".

También puede decir comandos como "nueva línea" o "activar mayúscula inicial" para poner en mayúsculas la primera letra de la siguiente palabra. No existe una lista oficial con lo que admite esta funcionalidad y, como la transcripción tiene lugar en los servidores de Apple, el modo en que se interpretan estos comandos puede cambiar en cualquier momento.

Editar textos

La edición de textos en un dispositivo de pantalla táctil. Aunque puede tocar en cualquier parte del texto de la pantalla, la yema de su dedo es demasiado grande para el nivel de precisión que suele conseguirse con un ratón y un cursor en un ordenador. Para compensarlo, Apple ha desarrollado una técnica de edición que aplica una lupa sobre una zona de la pantalla, la cual aparece al mantener la pulsación sobre el texto.

Por ejemplo, si desea introducir algún texto en un campo de Safari, pulse con el dedo sobre el campo y mantenga la pulsación. Aparecerá un círculo de aumento con un cursor en la posición exacta que ha seleccionado.

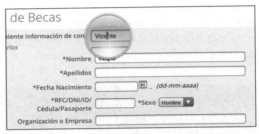

Cuando encuentre la ubicación exacta que desea indicar, levante el dedo de la pantalla. Entonces, aparecerán varias opciones dependiendo del tipo de texto que haya seleccionado, como Seleccionar, Seleccionar Todo y Pegar. Puede ignorar estas opciones y empezar a escribir de nuevo para insertar texto en este punto.

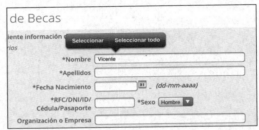

Copiar y pegar

Puede copiar y pegar textos dentro de una aplicación y entre aplicaciones de su iPad. Vamos a ver cómo podría copiar parte de un texto de un documento en otro en la app Notes.

1. Inicie Notes. Si no dispone de notas aún, cree una escribiendo un texto de ejemplo.

2. Pulse sobre una palabra de su nota y mantenga pulsado. Se mostrará el menú emergente Seleccionar/ Seleccionar todo.

3. Escoja Seleccionar.

4. Se resaltará parte del texto, con dos puntos en los extremos conectados a unas líneas. Pulse sobre los puntos y arrastre para resaltar exactamente el área deseada.

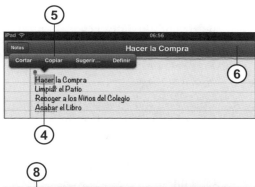

5. Pulse sobre Copiar.

6. Pulse el botón + para crear una nueva nota.

7. Pulse una vez en el área vacía del documento para mostrar un menú emergente con el comando Pegar.

8. Pulse en Pegar para insertar el texto copiado.

CÓMO UTILIZAR SIRI

Siri es un asistente activado por voz que se introdujo por primera vez en 2011 en el iPhone 4. Podrá utilizar su voz para dictar comandos a su iPhone; Siri le responderá. Le proporcionará información o realizará alguna acción utilizando una de las aplicaciones del iPhone.

También puede utilizar Siri en su iPad mini. Primero debe asegurarse de que tiene Siri habilitado. Si lo está, podrá utilizar el botón **Inicio** para activar Siri.

1. Acceda a su app Ajustes y pulse en General.
2. Pulse sobre Siri.

3. Deslice el interruptor hasta la posición de encendido (línea vertical sobre fondo azul) para habilitar Siri.

4. Pulse el botón **Inicio** para salir de Ajustes.

5. Pulse el botón **Inicio** y manténgalo pulsado durante un segundo. Aparecerá la interfaz de Siri mostrando un botón de micrófono con una luz violeta que cambiará mientras esté hablando.

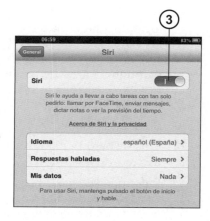

6. Hable con claridad, a un ritmo normal y diga: "¿Qué tiempo hace hoy en Murcia?". Tras un par de segundos de espera, las palabras que ha dicho aparecerán en pantalla y Siri intentará realizar una acción en base a ellas.

7. En este caso, se mostrará el pronóstico del tiempo para la ciudad indicada.

8. Siri también responderá con una frase, que también será enunciada por una voz. Normalmente se muestra el texto de la respuesta sobre la información proporcionada.

Trucos para Siri

Para utilizar Siri, debe tener una conexión a Internet. Puede ser una conexión por Wi-Fi o una conexión por móvil. Cuando dice el texto, el sonido se envía a los servidores de Apple, donde se convierte en texto y se interpreta el comando. El resultado se envía de vuelta a su iPad.

Lo mejor es hablar con claridad y con el menor ruido de fondo posible. Siri funciona mejor en una habitación silenciosa que en un sitio abierto con mucha gente o en un coche con la radio encendida, por ejemplo.

Como son los servidores de Apple los que controlan Siri, sus capacidades se pueden actualizar en cualquier momento. Así pues, si Siri no entiende su petición sobre resultados deportivos locales, vuelva a intentarlo en el futuro; puede que entonces le dé la respuesta esperada.

Puede utilizar Siri para realizar muchas tareas en su iPad sin tener que escribir. Por ejemplo, puede buscar en Internet, anotar recordatorios, enviar mensajes y reproducir música. Durante el resto de este libro, busque siempre el icono de Siri para consultar consejos sobre su uso para realizar una tarea relacionada con esa sección del libro.

Objetivos:

En este capítulo aprenderá a cambiar algunos de los ajustes de su iPad, como las imágenes de fondo, los sonidos, la contraseña y el modo en que se comportan algunas aplicaciones.

Cambiar el fondo de pantalla.

Obtener información sobre su iPad.

Definir sonidos de alerta.

Proteger el iPad con contraseña.

Configurar las restricciones parentales.

Configurar la funcionalidad del interruptor lateral.

Configurar la fecha y la hora.

Modificar la configuración del teclado.

Cambiar la configuración de Safari.

Cambiar la configuración de Música.

Configuración del Centro de Notificaciones.

Más ajustes.

2. Personalice su iPad

Como ocurre en todas relaciones, se enamorará de su iPad por lo que es. Y entonces, casi de inmediato, intentará cambiarlo.

Sin embargo, le resultará más fácil personalizar su iPad que a su media naranja, porque puede modificar varios ajustes y controles en la aplicación Ajustes. También puede cambiar de sitio los iconos de la pantalla de inicio e incluso modificar el funcionamiento del botón **Inicio**.

CAMBIAR EL FONDO DE PANTALLA

El fondo de pantalla es la imagen situada detrás de los iconos de la pantalla de inicio y la de bloqueo, así que asegúrese de elegir uno que le guste.

1. Pulse en el icono **Ajustes** de su pantalla de inicio.

2. Escoja Brillo y fondo de pantalla en los Ajustes del lado izquierdo de la pantalla.

3. Pulse sobre el botón que hay a la derecha de las vistas previas de las pantallas de bloqueo y de inicio dentro de la sección Fondo de pantalla.

4. Si aún no ha cargado o no ha tomado ninguna foto con su iPad, salte al paso 5. En caso contrario, para escoger uno de los fondos de pantalla que le ofrece Apple, pulse sobre uno de los fondos o escoja un álbum de fotos y salte al paso 11.

5. Pulse sobre el icono de una imagen para seleccionarla y obtener su vista completa.

6. Desde la vista completa, escoja **Pantalla bloqueada** para que esta imagen sea el fondo de su pantalla de bloqueo.

7. Elija **Pantalla de inicio** para que esta imagen sea el fondo de su pantalla de inicio.

8. Escoja **Ambas** para que la imagen sea el fondo de las dos pantallas.

9. Pulse en el botón **Cancelar** de la esquina superior izquierda de la pantalla para regresar a los iconos de los fondos de pantalla.

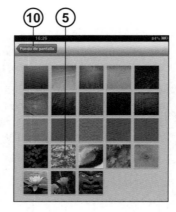

10. Cuando esté visualizando la lista de iconos, pulse el botón **Atrás** de la parte superior de la pantalla para regresar a la pantalla anterior.

11. Pulse sobre Carrete o sobre un álbum de fotos para ver sus fotos.

12. Pulse sobre un icono de foto para visualizar esa foto de su álbum.

13. Utilice los botones descritos en los pasos 6, 7 y 8 para elegir esta imagen como fondo de pantalla.

Ajustar la imagen del fondo de pantalla

Puede pulsar sobre una foto y arrastrarla para desplazarse a otras áreas de la imagen que desee utilizar como fondo. También puede realizar el movimiento de un pellizco sobre la pantalla para hacer un zoom que acerque o aleje la foto.

OBTENER INFORMACIÓN SOBRE SU IPAD

Una de las muchas cosas de la aplicación Ajustes es su sección Información, que le permite conocer los detalles de su iPad.

1. Pulse en el icono **Ajustes** de su pantalla de inicio.

2. Pulse sobre General en la lista de ajustes de la izquierda.

3. Pulse sobre Información, la primera opción de la lista de ajustes generales.

4. Vea cuántas canciones, vídeos, fotos y aplicaciones tiene.

5. Vea la capacidad total de su iPad y la cantidad de espacio disponible.

6. La versión le indica qué versión del sistema operativo está ejecutando. Consúltela para asegurarse de que está utilizando la última versión del SO de iPad.

7. El modelo le indica exactamente qué iPad posee en caso de que tuviera que llevarlo al servicio técnico o si tuviera que informar acerca de un bug a un desarrollador de apps externo.

8. El número de serie, la dirección Wi-Fi y la dirección de Bluetooth son únicas para su iPad. Puede que Apple le pida el número de serie de su dispositivo si lo envía a reparar. La dirección de la Wi-Fi el dato que le solicitan cuando le hablan de la "dirección MAC" o la "dirección de red" de su iPad.

9. Puede cambiar el nombre de su iPad que se muestra en iTunes y iPhoto cuando los sincronice con su ordenador y otras instancias.

¿Por qué me falta espacio?

En este ejemplo puede observar que la capacidad del iPad es de 13,7 GB, aunque la publicidad dice que este modelo tiene 16 GB. Esta diferencia se debe al espacio que utilizan el sistema operativo y otros archivos del sistema.

¿Otro número de modelo?

Si pulsa en la opción Aviso legal y luego en la opción Regulaciones dentro de la pantalla Información, pasará a otra pantalla que indica otro número de modelo para su iPad. En el iPad mini, aquel modelo que sólo tiene Wi-Fi, el número es A1432. Cuando compre accesorios de terceros para su iPad, las especificaciones de estos accesorios pueden ser del tipo "compatible con el modelo X". En este caso, X puede representar cualquier número de modelo.

DEFINIR SONIDOS DE ALERTA

Su iPad puede ser un dispositivo ruidoso, con varios eventos que disparan sonidos de alerta. Sólo con escribir en el teclado en pantalla se pueden producir una serie de clics.

Vamos a ver cómo ajustar los sonidos de alerta de su iPad.

1. Pulse en el icono **Ajustes** de la pantalla de inicio.

2. Pulse en Sonidos, en la lista de ajustes de la izquierda.

3. El deslizador de volumen es un control independiente para el timbre de las llamadas entrantes de FaceTime.

4. Cuando Ajustar con botones está desactivado, el volumen del timbre (véase el paso 3) y el de las alertas (botones de volumen laterales) son independientes. Si lo activa, estarán vinculados al mismo ajuste y podrá emplear el deslizador para ajustar ambos.

5. Pulse en cualquiera de estas opciones para definir el sonido que se reproducirá cuando ocurra algún evento. Puede escoger entre tonos de timbre, tonos de alerta o tonos personalizados para cualquiera de los eventos. Los tonos de timbre son los de las llamadas de FaceTime y los tonos de mensaje son los de la aplicación Mensajes.

6. Active o desactive el interruptor Bloqueo. Cuando está activado, se reproducirá un sonido al desbloquear la pantalla de bloqueo.

7. Active o desactive el interruptor Clics del teclado.

¿Y si utilizamos sonidos personalizados?

Cualquier evento sonoro puede reproducir un tono de llamada en vez de un sonido de alerta simple. Verá que iOS lleva integrada una lista de tonos de alerta, además de una lista de tonos de llamada, que incluye tanto los tonos de llamada nativos como los que haya personalizado. Puede agregar sus propios tonos de llamada de iTunes a su Mac o PC y sincronizarlos después con su iPad. Después de sincronizarlos, los verá en una lista al seleccionar un sonido de alerta. Encontrará más información sobre la sincronización de música en el capítulo 3. Al obtener o crear sus propios tonos de llamada, puede definir los sonidos de alerta que desee.

PROTEGER EL IPAD CON CONTRASEÑA

Proteger su iPad con contraseña es un modo magnífico de asegurarse de que nadie más podrá acceder a su información o utilizar su dispositivo.

1. Pulse en el icono **Ajustes** de la pantalla de inicio.
2. Pulse en General dentro de la lista de ajustes de la izquierda.
3. Pulse en Bloqueo con código.

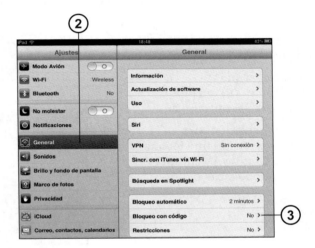

Aún más seguridad

Para que su iPad se bloquee de forma automática cuando no lo utilice, escoja Bloqueo automático en los ajustes generales e indique si desea que su iPad se bloquee cada 2, 5, 10 o 15 minutos. También puede desactivar completamente esta funcionalidad. Obviamente, puede bloquear su iPad manualmente pulsando el botón Reposo/Activación de la parte superior.

4. Pulse sobre Código simple para pasar de utilizar un número de 4 dígitos a una contraseña más larga que pueda incluir tanto letras como números si desea aumentar la seguridad; si no, su contraseña estará compuesta por 4 dígitos. Habilite Activar código.
5. Escriba una contraseña de cuatro dígitos que pueda recordar con facilidad. Anótela y guárdela en un lugar seguro, pues tendrá bastantes problemas si la olvida.
6. Se le pedirá que vuelva a introducir su contraseña.

7. Pulse en la opción Solicitar y escoja el retardo con el que se le solicitará la contraseña. Si elige cualquier valor que no sea Inmediatamente, entonces cualquier persona que utilice su iPad podrá trabajar con él durante ese tiempo antes de tener que introducir el código.

8. Desactive Marco de fotos para que desaparezca el botón de la presentación de imágenes de la pantalla de bloqueo.

9. Desactive Siri para impedir que se pueda utilizar Siri desde la pantalla de bloqueo.

10. Active Borrar datos si desea que se borren los datos del iPad tras 10 intentos fallidos de introducción de la contraseña.

11. Pulse el botón Reposo/Activación para confirmar que sus nuevos ajustes funcionan. Después pulse el botón **Inicio** y **Desbloquear**. Aparecerá la pantalla Introduzca el código.

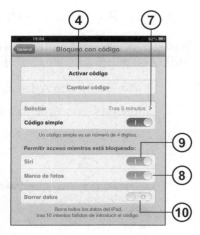

¿Ha olvidado su contraseña?

Bueno, si hubiera algún modo de saltarse la contraseña, el sistema no sería tan seguro por lo que no podrá hacer nada hasta que conecte su iPad a su Mac o su PC y la restaure con iTunes. Espero que esto nunca le ocurra.

CONFIGURAR LAS RESTRICCIONES PARENTALES

Si tiene pensado dejar que sus hijos jueguen con su iPad, le aconsejo que defina algunas restricciones respecto a lo que pueden hacer.

1. Pulse en el icono **Ajustes** de la pantalla de inicio.

2. Pulse en General.

3. Pulse en Restricciones.

4. Pulse en Activar restricciones para activar las restricciones o pulse en Desactivar restricciones para desactivarlas.

5. Escriba un código de cuatro dígitos y, luego, vuelva a introducirlo cuando se le solicite. Recuerde este código, pues de lo contrario no podrá desactivar las restricciones.

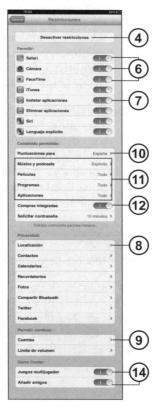

6. Para eliminar las aplicaciones Safari, Cámara, FaceTime 3 iTunes de su pantalla de inicio, desactive los interruptores.

7. El interruptor **Instalar aplicaciones** evita que se instalen aplicaciones nuevas.

8. El interruptor **Localización** desactiva las funciones basadas en localización de todas las aplicaciones.

9. Puede impedir que se agreguen o modifiquen las cuentas de correo.

10. Escoja en qué país se basará para el sistema de puntuación en el submenú de Puntuaciones para.

11. En los últimos cuatro elementos, escoja el nivel de puntuación más alto del tipo de contenido que pueda ser utilizado. Por ejemplo, dentro de Películas, puede escoger entre las distintas calificaciones por edades y seleccionar 13, en cuyo caso no se reproducirán películas para mayores de 13 años. También dispone de las opciones Permitir todas las películas y No permitir películas.

12. Utilice Contenido permitido para determinar si se permitirán las **Compras integradas** o el contenido de pago, como puede ser el caso de algunas revistas o niveles de juegos.

13. Después de comprar alguna compra, no se solicitará la contraseña para compras durante 15 minutos aunque puede cambiar este parámetro para que se solicite de inmediato.

14. Seleccione las opciones del Game Center para permitir las funciones que desee. Esto sólo afectará a los juegos que utilizan Game Center para comunicarse con otros jugadores. Algunas apps utilizan su propio sistema de comunicación u otros sistemas, como Facebook.

15. Cuando se instala una aplicación nueva, puede pedir permiso para acceder y cambiar sus contactos, eventos, recordatorios y fotos. Con estas opciones, puede impedir que nuevas aplicaciones obtengan este permiso. También accederá a una lista de las aplicaciones que tienen este permiso, desde la que podrá denegárselo.

16. Puede desactivar el acceso de las aplicaciones a sus cuentas de Twitter y Facebook. Esto afectará a las cuentas de Twitter y Facebook agregadas a su iPad a través de la aplicación Ajustes. Por ejemplo, la posibilidad de utilizar la aplicación Fotos para publicar una foto en su cuenta de Facebook. Si tiene una app que no pasa por los ajustes de su iPad, como la app oficial de Facebook, deberá salir desde dentro de esta aplicación para impedir que alguien lo utilice.

Ajustes de privacidad

Las opciones de permisos del paso 15 también están disponibles fuera de los controles parentales. Puede seleccionar Privacidad, en el lado izquierdo de la aplicación Ajustes, para ver todas las aplicaciones que han solicitado acceso a contactos, eventos, recordatorios, fotos y a su ubicación. Puede consultar si estas aplicaciones tienen acceso y denegárselo.

No todo es bueno: Su iPad no recuerda las opciones

Estaría bien poder activar y desactivar todas las restricciones directamente, para poder pasarle el iPad a nuestro hijo después de activarlas, pero las opciones se reinician cada vez que se hace esto, por lo que deberá definirlas todas cada vez que vuelva a coger su iPad de nuevo.

CONFIGURAR LA FUNCIONALIDAD DEL INTERRUPTOR LATERAL

Cuando salió el iPad original, el interruptor lateral bloqueaba la orientación. Era muy útil para fijar la orientación mientras se leía un libro. Pero entonces, Apple cambió la funcionalidad del interruptor mediante una actualización de software y lo convirtió en un interruptor para silenciar la tableta, como el que llevaba el iPhone. Esto disgustó a mucha gente de modo que, a partir de la versión 4.3 de iOS, se permitió a la gente escoger qué quería que hiciera el botón lateral.

1. Pulse en el icono **Ajustes** de la pantalla de inicio.

2. Pulse sobre General.

3. Escoja Bloquear rotación si desea que el interruptor lateral sea un interruptor de bloqueo de la orientación.

4. Escoja Silenciar si desea que el interruptor lateral silencie el volumen de los altavoces y auriculares.

CONFIGURAR LA FECHA Y LA HORA

Puede configurar la fecha, la hora y la zona horaria de su iPad, e incluso decidir si mostrará la hora en un formato de 12 o 24 horas.

1. Pulse en el icono **Ajustes** de la pantalla de inicio.

2. Pulse sobre General.

3. Desplácese hasta la parte inferior de la lista de ajustes generales y pulse sobre Fecha y hora.

4. Ajuste el interruptor **Reloj de 24 horas** según sus preferencias.

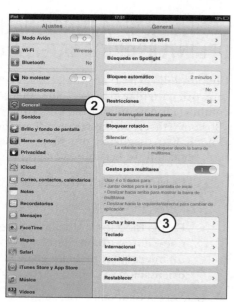

5. Al activar **Ajuste automático**, sincronizará la fecha y la hora con la red Wi-Fi o la red inalámbrica a la que está conectado el iPad.

6. Pulse sobre la opción Zona horaria e introduzca el nombre de su ciudad o el de una ciudad cercana para configurar la zona.

7. Pulse sobre Fecha y hora para volver a ajustar la fecha y la hora.

8. Pulse sobre el día o la hora, en la parte superior del control, para que el control inferior cambie a la interfaz correcta. Si escoge la hora, podrá ajustar horas y minutos. Si escoge la fecha, podrá ajustar el mes, el día y el año.

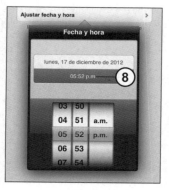

MODIFICAR LA CONFIGURACIÓN DEL TECLADO

Si emplea su iPad para el correo electrónico o para el procesamiento de textos, utilizará el teclado en pantalla con frecuencia. El teclado hace muchas cosas para facilitarle la escritura pero puede que algunas no encajen en su forma de escribir. Utilice los siguientes pasos para modificar los ajustes de teclado según sus preferencias.

1. Pulse en el icono **Ajustes** de la pantalla de inicio.

2. Pulse sobre General.

3. Desplácese hasta la parte inferior de la lista de ajustes generales y pulse sobre Teclado.

4. Active las Mayúsculas automáticas para hacer que el primer carácter de un nombre o una frase aparezca en mayúsculas automáticamente.

5. Active la Autocorrección para hacer que las palabras mal escritas se corrijan automáticamente.

6. Active o desactive Comprobar ortografía dependiendo de si desea que se le indique cuándo una palabra podría estar mal escrita.

7. Active o desactive Bloqueo de mayúsculas que, por defecto, viene desactivado. Si lo activa, una pulsación doble en la tecla **Mayús** bloqueará las mayúsculas.

8. Active el atajo de teclado Función rápida de "." si desea que al hacer una pulsación doble de la **Barra espaciadora** se inserte un punto seguido de un espacio.

9. Utilice la opción Teclados para escoger un teclado con una disposición diferente. Además de los teclados utilizados habitualmente en otros países, puede cambiar a un teclado Dvorak o alguna de las distintas alternativas al teclado QWERTY tradicional.

10. Si desea bloquear el teclado para que no se pueda dividir y mover en vertical, desactive esta opción. Encontrará más información sobre el teclado en pantalla en el capítulo 1.

11. Puede añadir sus propios atajos. Por ejemplo, cuando escriba **"tb"**, puede hacer que se expanda automáticamente a "también". Añada sus propios atajos para las expresiones que escriba con mayor frecuencia.

CAMBIAR LA CONFIGURACIÓN DE SAFARI

Aunque hablaremos sobre Safari en el capítulo 7, puede personalizarlo aquí, en la aplicación Ajustes.

1. Pulse en el icono **Ajustes** de la pantalla de inicio.

2. En la lista de ajustes de la izquierda, pulse sobre Safari.

3. Seleccione el motor de búsqueda que desea utilizar. La opción por defecto es Google pero puede escoger también Yahoo! o Bing.

4. Ajuste las opciones de Autorrelleno para rellenar los formularios de la Web. Su iPad puede tomar su información de contacto de la aplicación Contactos o de los datos que haya rellenado previamente en la misma página Web o en páginas similares.

5. Decida si desea saltar de inmediato a una nueva ficha o quedarse en la página actual cuando abra una nueva ficha, de modo que ésta se abra silenciosamente en segundo plano.

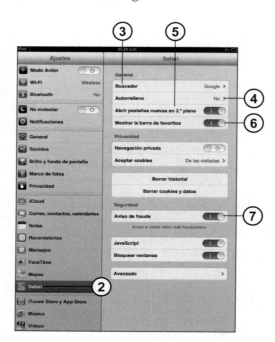

6. Escoja si desea mostrar la barra de marcadores todo el tiempo o sólo cuando haya guardado marcadores en la barra.

7. Aviso de fraude busca los sitios Web en una base de datos de sitios a evitar. Le recomiendo que deje activada esta opción. Si intenta seguir un enlace a uno de estos sitios, recibirá un aviso y podrá cambiar de opinión antes de cargar la página.

CAMBIAR LA CONFIGURACIÓN DE MÚSICA

En lo que respecta a la reproducción de música, tiene algunas preferencias entre las que escoger. La mayoría tienen que ver con la calidad y el volumen del sonido que sale del iPad.

1. Pulse en el icono **Ajustes** de la pantalla de inicio.

2. Escoja Música en la lista de ajustes de la izquerda.

3. Active o desactive Ajuste de volumen para reproducir su música aproximadamente al mismo volumen aunque sean dispares los de los archivos de sonidos.

4. Utilice Ecualizador para seleccionar un ajuste de ecualización. Puede escoger uno en función del tipo de música que escuche o ajustes del tipo Texto hablado, Amplificador de bajos o Minialtavoces.

5. Pulse sobre Límite de volumen para fijar un límite para el volumen máximo.

6. Pulse sobre iTunes Match para activarlo. iTunes Match es un servicio en el que toda la música que posee se almacena en los servidores de Apple para que pueda acceder a ella con iTunes en un PC o en un Mac y a través de la aplicación Música de su iPad, iPhone o iPod Touch. Encontrará más información en la dirección de Internet `http://www.apple.com/itunes/itunesmatch/`.

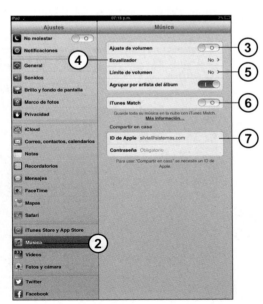

7. Introduzca su ID de Apple y su Contraseña para permitir la emisión de música y vídeo en *streaming* desde su Mac. Hablaremos más sobre este tema en el capítulo 4.

CONFIGURACIÓN DEL CENTRO DE NOTIFICACIONES

De vez en cuando, las aplicaciones necesitan interrumpir lo que esté haciendo o alertarle incuso cuando no esté utilizando su iPad. En iOS 6, todo esto se concentra en el Centro de Notificaciones. Este centro le puede presentar las alertas de dos maneras: como un cuadro en el centro de la pantalla o como una notificación desplegable en la parte superior. Puede ajustar esta opción para cada una de las aplicaciones dentro de la sección Notificaciones de la aplicación Ajustes.

Tenga en cuenta que las opciones específicas pueden variar para cada aplicación. Por ejemplo, Mensajes dispone de opciones para mostrar una vista previa del mensaje y para repetir la notificación pero Calendario, no.

1. Pulse en la categoría Notificaciones de Ajustes.

2. El modo No molestar silencia casi todas las notificaciones. Puede definir un periodo de tiempo específico en el que se pasará a este modo, como por ejemplo entre las 10:00 PM y las 7:00 AM. También puede permitir llamadas de FaceTime a personas de un grupo de contacto específico, de modo que las llamadas suenen con independencia las restricciones aplicadas. Otra opción de este modo es permitir una segunda llamada de la misma persona durante los tres minutos que siguen a su llamada anterior.

3. También puede activar el modo **No molestar** con este interruptor del lado izquierdo de la aplicación Ajustes.

4. Pulse sobre cualquier aplicación para ver la configuración de sus notificaciones. Si una aplicación no aparece en la lista, es porque no envía notificaciones.

5. Puede eliminar una aplicación del Centro de Notificaciones para que no le envíe notificaciones.

6. Puede limitar el número de elementos que muestra el Centro de Notificaciones para esa aplicación en particular en un momento concreto.

7. Si escoge el estilo de alerta Ninguno, no se mostrará ninguna tira ni ninguna alerta.

8. Si escoge Tiras, cuando la aplicación tenga un mensaje, se mostrará una tira desplegable que desaparecerá tras unos segundos. No interrumpirán su trabajo cuando aparezcan.

9. Si escoge Alertas, cuando su aplicación tenga un mensaje aparecerá un cuadro en el centro de la pantalla que deberá cerrar para continuar.

10. Si escoge Globos en los iconos, encima del icono habrá un número cuando haya un mensaje.

11. Muchas aplicaciones le permiten definir el sonido específico que se utilizará.

12. Si escoge Ver en la pantalla bloqueada, las alertas de esta aplicación se mostrarán aunque el iPad esté bloqueado.

MÁS AJUSTES

Existen demasiadas categorías de ajustes como para verlas todas aquí, aunque estas que siguen también son importantes.

1. Pulse sobre Vídeos.

2. Ajuste si un vídeo se empezará a reproducir donde se paró o siempre desde el principio.

3. Active o desactive la opción Con subtítulos.

4. Pulse sobre Mapas.

5. Decida su desea ver las distancias en kilómetros o millas.

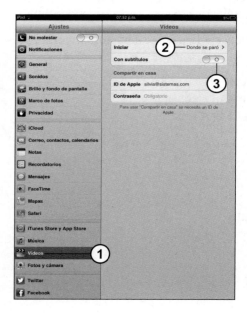

6. Decida si las etiquetas se mostrarán en español con independencia de la región que muestre el mapa.

7. Escoja un tamaño para las etiquetas del mapa.

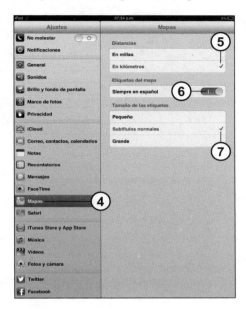

Agregar cada vez más aplicaciones

La aplicación Ajustes añadirá más páginas cuando añada nuevas aplicaciones a su iPad. Algunas aplicaciones de terceros no incluyen un componente en la aplicación Ajustes, así que no se alarme si no ve en la lista de ajustes una aplicación que acaba de añadir.

Objetivos:

En este capítulo descubrirá
cómo puede conectar
su iPad a su red Wi-Fi
local. También verá cómo
sincronizar su iPad con su
ordenador Windows o Mac.

Configurar la conexión
con su Wi-Fi.

Configurar su
conexión 3G/4G.

Sincronizar con iTunes.

Sincronizar
utilizando iCloud.

3. Redes y sincronización

Ahora que ya tiene su nuevo iPad, ¿por qué no se lo presenta a su viejo amigo el ordenador? Al fin y al cabo, los dos tienen mucho en común y se les da bien compartir, sobre todo datos como los de sus contactos, calendario, música, vídeo y documentos.

Sincronizar su iPad con su PC o Mac es algo que debería hacer cuanto antes y seguir haciendo regularmente. De este modo, podrá acceder a todos los datos de su ordenador desde su iPad y, cuando añada información o contenidos nuevos a alguno de los dispositivos, podrán compartirlo para que siempre los tenga al alcance de la mano.

CONFIGURE LA CONEXIÓN CON SU WI-FI

Una de las primeras cosas que tiene que hacer con su iPad, incluso antes de sincronizarlo con su ordenador, es configurar la conexión a Internet.

Es posible que ya lo hiciera la primera vez que inició su iPad. Puede que le diera a elegir entre una lista de redes Wi-Fi cercanas, pero hágalo de nuevo si va a utilizar su iPad lejos de casa por primera vez o si necesita cambiarse a otra red inalámbrica.

Para conectar su iPad a una red inalámbrica, siga estos pasos:

1.   Pulse sobre el icono **Ajustes** de la pantalla de inicio.

2. Escoja Wi-Fi en la lista de ajustes de la izquierda.

3. Asegúrese de que la opción Wi-Fi de la derecha está activada.

4. Pulse sobre el elemento que representa su red (si pulsa sobre la flecha del círculo azul situada junto a cada red podrá personalizar los detalles de la red).

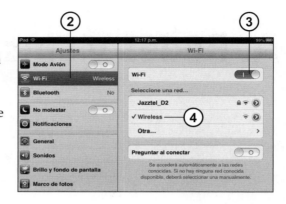

No dispongo de una conexión inalámbrica

Si no tiene una red inalámbrica pero sí tiene contratada una conexión a Internet de alta velocidad con algún proveedor, tiene varias opciones. La primera es llamar a su proveedor y pedirle un módem nuevo que permita conexiones inalámbricas.

Otra opción es seguir con el actual y agregarle una estación base inalámbrica por su cuenta, como la Apple Airport Extreme.

5. Si la red está protegida por contraseña, se le pedirá que la introduzca. Una vez introducida, su iPad la recordará. Por tanto, si se está moviendo entre dos ubicaciones, como por ejemplo su casa y su trabajo, la primera vez que utilice cada una de las conexiones se le solicitará de nuevo la contraseña. A partir de ese punto, su iPad accederá automáticamente a cada conexión cuando cambie de ubicación.

¿Seguridad? ¡Sí, gracias!

La red inalámbrica de su casa debería tener la seguridad activada. Es decir, debería ver un candado junto a ésta en la lista de redes Wi-Fi de su iPad. Cuando la seleccione por primera vez, debería solicitarle una contraseña.

Si no necesita una contraseña, piense seriamente en cambiar la configuración de su red para incorporar medidas de seguridad. La cuestión no es si solicitar o no una contraseña para acceder a Internet, sino el hecho de que una red segura envía la información encriptada. De no ser así, cualquiera podría "cotillear" en su conexión inalámbrica y saber a qué se dedica cuando navega por Internet, incluyendo el uso de tarjetas de crédito y las visitas a sitios de acceso restringido. Consulte la documentación de su equipo de red para configurar la seguridad.

CONFIGURE SU CONEXIÓN 3G/4G

Si tiene un iPad con funcionalidades 3G/4G, puede configurarlo para que utilice los servicios de cualquier proveedor compatible, ya sea contratando una tarifa plana o cualquier otro servicio con un tipo de tarifa diferente.

1. Pulse sobre el icono **Ajustes** de la pantalla de inicio.

2. Escoja Datos móviles en la lista de ajustes de la izquierda.

3. Active Datos móviles. Si además tiene un iPad mini de 3ª generación, active Activar LTE para que la conexión sea más rápida.

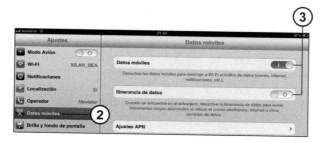

SINCRONIZAR CON ITUNES

Tanto si trabaja con PC como con Mac, necesitará iTunes para sincronizar su iPad con su ordenador. Si está en un Mac, ya dispone de iTunes. Lo único que tiene que hacer es ejecutar Actualización de Software para asegurarse de que tiene la última versión. Si trabaja con Windows, puede conseguir la versión para Windows de iTunes en el sitio de Apple: `http://www.apple.com/es/itunes/download/`.

Trabajar con Wi-Fi y 3G/4G

Una vez configurado su plan 3G/4G, su iPad debería seguir conectándose a su red Wi-Fi cuando esté dentro de su alcance y utilizar la 3G cuando no consiga localizar una red inalámbrica. También puede acceder de nuevo a Ajustes y activar o desactivar Datos móviles para impedir que su iPad utilice la red 3G. Esto le será de utilidad cuando no obtenga cobertura de su proveedor de telefonía móvil pero pueda acceder a una red inalámbrica. Supongamos que va a viajar en avión. Obviamente, para despegar y aterrizar, lo más probable sea que le pidan que utilice el modo avión, al que también podrá acceder desde Ajustes. Este modo se utiliza cuando se desea "sacar el móvil de la red" rápidamente y no tenerlo conectado a nada.

Puede saber el tipo de conexión que está utilizando si mira a la esquina superior izquierda de la pantalla de su iPad. La primera imagen muestra un iPad sin conexión 3G/4G, sólo Wi-Fi. La segunda muestra un iPad con una conexión 3G/4G pero donde se está utilizando una conexión Wi-Fi para enviar y recibir datos. En este caso, todos los datos llegan a través de la Wi-Fi y el ancho de banda del móvil no se está utilizando para nada. La tercera imagen muestra un iPad que, en ese momento, utiliza la conexión de datos 3G/4G.

Cuidado con el Roaming

Dentro de las opciones de Datos móviles, puede activar o desactivar Itinerancia de datos. Esto es lo que permite a su iPad conectarse a las redes de datos inalámbricas fuera de su plan de datos, como las redes de otros países. Si deja activado Itinerancia de datos y su iPad se conecta a una red de este tipo, puede que le llegue una factura sorpresa. Puede evitarse este susto dejando desactivada esta opción o contratando con su proveedor un plan de roaming.

Sincronizar su iPad con un ordenador le proporciona muchas ventajas:

▶ Cada día que sincronice su iPad, iTunes guardará una copia de seguridad de su contenido. Si pierde su iPad, podrá restaurar todos sus datos desde estas copias.

► Sincronizar su iPad con un ordenador es el único modo de sacar un número elevado de fotos de una colección de su iPad.

► La sincronización es el medio para llevar a su iPad la música que tenga almacenada en iTunes. Si tiene una gran colección musical, puede optar por copiar sólo una selección de ésta en su iPad en cualquier momento.

► Puede que le resulte más fácil organizar los iconos de las aplicaciones de la página de inicio utilizando iTunes en vez de hacerlo en su iPad.

► En la aplicación Calendario de un Mac, tendrá un control mayor sobre la configuración de eventos especiales y recurrentes, que aparecerán en la aplicación Calendario de su iPad aunque no los pueda crear allí.

Puede que la primera vez que conecte su iPad y abra iTunes, su ordenador le muestre un mensaje preguntándole si le parece bien sincronizar su iPad con este ordenador. El mensaje no volverá a aparecer.

Después de conectarse por primera vez, iTunes debería abrirse automáticamente cada vez que conecte su iPad. Mientras está conectado, siempre puede volver a sincronizar para aplicar cambios haciendo clic en el botón **Sincronizar** de iTunes.

También puede probar la sincronización a través de una conexión Wi-Fi con las opciones de su iPad en iTunes. Esto le permitirá sincronizarse cuando su iPad no esté conectado mediante el cable. Sólo necesita estar en la misma red que el PC o Mac que ejecuta iTunes.

Botón de resumen

Opciones de las copias de seguridad

Cuando haya sincronizado su dispositivo, puede cambiar algunas de las opciones generales de su iPad en la pantalla Resumen de iTunes. La mayoría de las opciones no necesitan explicación, como Abrir iTune al conectar este iPad.

Una opción que cambia drásticamente el modo en que se sincroniza su iPad es Gestionar la música y los vídeos manualmente, que desactiva la sincronización automática de la música y los vídeos y le permite arrastrar directamente las canciones y las películas de su biblioteca de iTunes hasta el icono del iPad de la izquierda (quizá necesite desplazarse hacia abajo, en la página Resumen, para encontrar esta casilla de verificación si su pantalla es demasiado pequeña para mostrar toda la página de una vez).

Para comentar algunas de las opciones de sincronización del iPad hemos utilizado la versión para Windows de iTunes. La versión para Mac es similar si bien no exactamente la misma. En Mac, iTunes sincroniza sus datos con las aplicaciones propias de Mac, como Agenda, iCal e iPhoto. En Windows, iTunes debe buscar estos datos en otro sitio.

Sincronizar a través de conexión Wi-Fi

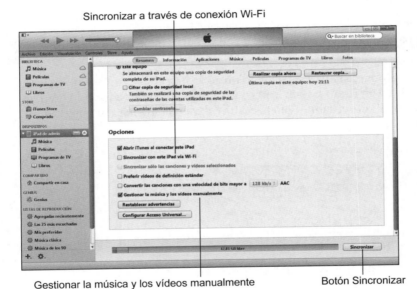

Gestionar la música y los vídeos manualmente   Botón Sincronizar

Sincronizar contactos, calendarios y otros datos

Utilice la página Información de iTunes para sincronizar sus contactos, sus calendarios y otras cosas con su iPad.

1. Haga clic en el botón **Información** de iTunes para ver las opciones que determinan cómo se sincronizarán los contactos. Puede sincronizar todos los contactos de su Agenda o sincronizar solamente los grupos seleccionados.

2. También puede sincronizar los contactos que tenga almacenados con Yahoo! o Google. Necesitará introducir sus datos de acceso para que iTunes pueda acceder a los contactos de dicho servicio.

3. Puede escoger entre sincronizar todos los calendarios de iCal o sólo los seleccionados. Puede optar también por no sincronizar los eventos antiguos.

4. A continuación puede sincronizar las cuentas de correo con el programa Mail de Apple, que no sincroniza los mensajes, sino la configuración entre su ordenador y su iPad. Encontrará más información sobre el uso del correo electrónico en su iPad en el capítulo 8.

5. Para transferir los favoritos de Mac a su iPad y mantenerlos sincronizados entre el iPad y el Mac, marque la casilla de verificación Sincronizar favoritos de Safari.

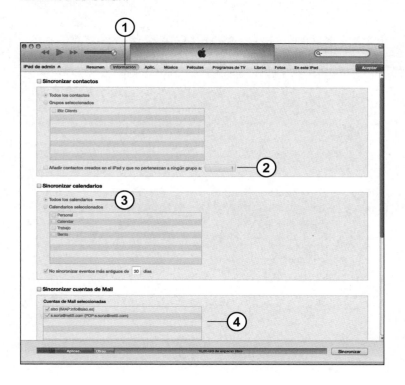

6. Utilice las opciones de Avanzado (Contactos, Calendarios, Cuentas de correo, Favoritos y Notas) para indicar que, durante la siguiente sincronización, se debería borrar la información de su iPad y reemplazarse con la información correspondiente de su Mac o PC.

7. Haga clic en el botón **Sincronizar**.

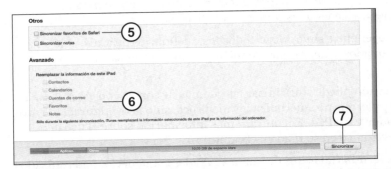

¡Haga una copia!

La parte más importante de la sincronización con su ordenador es hacer una copia de sus datos. Todo lo que cree con las aplicaciones, todas las preferencias que ajuste cuidadosamente y todas las fotos que haga podrían desaparecer en un segundo si se olvida su iPad o alguien se lo roba. Incluso podría fallar el software; el iPad no es perfecto.

La mejor opción es hacer una copia de seguridad en su equipo. Guardar todos los datos en un archivo de respaldo de su ordenador. Intente hacerlo una vez al día. Una buena copia de seguridad le permite sustituir un iPad perdido y recuperar todos los datos a partir de la copia. Funciona increíblemente bien.

Siempre puede conectar su iPad a su PC o Mac, iniciar iTunes o hacer clic con el botón derecho del ratón (Control+clic en Mac) sobre su iPad en la barra lateral izquierda y seleccionar Guardar copia de seguridad, aunque esto ocurre automáticamente una vez al día si los sincroniza.

La otra opción es hacer una copia de sus datos en iCloud por vía inalámbrica. Es su única opción si no va a sincronizar su iPad con un ordenador, aunque utilizará el espacio de almacenamiento que tenga asignado en su cuenta de iCloud, por lo que quizá necesite actualizar su cuenta de iCloud para hacer sitio a todos sus datos.

Pese a ello, hacer una copia de seguridad en iCloud es una magnífica alternativa, sobre todo si viaja con frecuencia y utiliza su iPad para tareas importantes.

Sincronizar aplicaciones

iTunes mantiene sincronizadas las aplicaciones de su ordenador y su iPad y le ayuda a organizarlas.

Tenga en cuenta que no puede ejecutar aplicaciones en su ordenador, sólo almacenarlas. Puede almacenar todas las aplicaciones que se haya descargado y comprado en su ordenador y tener sólo un subconjunto de éstas sincronizadas con su iPad.

1. Haga clic en el botón **Aplic.** de las opciones de su iPad en iTunes.

2. Utilice la lista de la izquierda para decidir cuáles se sincronizarán con su iPad.

3. Arrastre los iconos de las aplicaciones por la representación de la página de la pantalla de inicio.

4. Seleccione otra pantalla de la página de inicio haciendo clic en una de las páginas de la parte inferior.

5. Puede arrastrar una aplicación desde la representación principal hasta otra página de la parte inferior para moverla a otra página.

6. También puede arrastrar aplicaciones para introducirlas o sacarlas del área del Dock del iPad de la representación principal.

7. Haga clic en el botón **Aplicar** si desea aplicar los cambios ahora.

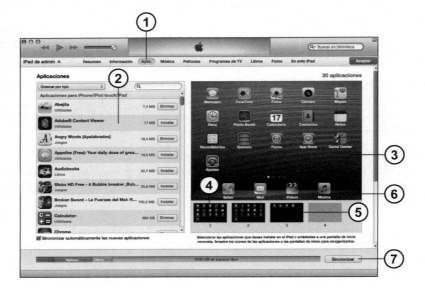

Sincronizar documentos

A veces, las aplicaciones tienen documentos. Por ejemplo, Pages es un procesador de textos y lo normal es que tenga documentos de texto. Estos documentos se guardan en su iPad aunque puede que también desee poder acceder a ellos desde su PC o Mac.

1. Haga clic en el botón **Aplic.** de su iPad en iTunes.

2. Desplácese hacia abajo, hasta la parte inferior de la página de aplicaciones.

¿No le aparece la sección Compartir archivos?

La sección Compartir archivos de la pantalla Aplicaciones sólo aparece si tiene al menos una aplicación capaz de compartir archivos con iTunes, como pueden ser Pages, Numbers, Keynote, iMovie, GarageBand, Voice Memos, y GoodReader.

3. Dentro de la sección Compartir archivos, escoja una aplicación.

4. Seleccione un documento de la derecha.

5. Haga clic en el botón **Guardar en** para guardar el documento como un archivo en su ordenador.

6. Haga clic en el botón **Añadir** para importar un archivo desde su ordenador hasta su iPad. Cada aplicación posee su propio espacio de documentos en su iPad. Por tanto, si tiene dos lectores de PDF y quiere que los documentos PDF estén disponibles para ambos, deberá agregarlos a los documentos de cada aplicación.

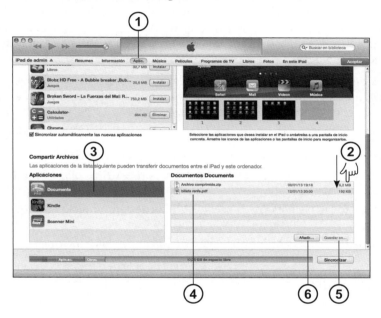

Arrastrar y soltar

También puede arrastrar y soltar para sacar documentos del espacio de documentos de la aplicación o importarlos a éste.

Sincronizar música

El modo sencillo de sincronizar la música es seleccionar Toda la biblioteca musical en iTunes en su ordenador. Aunque si tiene más música de la que cabe en su iPad, deberá escoger cuál prefiere. La sincronización de películas, programas de TV, podcasts, tonos de llamada, libros y contenidos de iTunes U funciona de un modo similar a la de la música, así que lo que aprenda en estos pasos también lo podrá aplicar a estos elementos.

Sincronizar con iCloud

Si utiliza iCloud y la aplicación lo soporta, entonces puede sincronizar de forma automática los documentos por vía inalámbrica. Por ejemplo, si utiliza Pages en su Mac con OS X Mountain Lion y guarda un documento de Pages en iCloud, verá que ese documento también aparece en la lista de documentos de Pages de su iPad. Tanto su Mac como su iPad deben utilizar la misma cuenta de iCloud para que pueda trabajar en el mismo documento y cambiar entre su Mac y su iPad sin necesidad de sincronizar previamente.

Puede que otras aplicaciones no soporten iCloud, por lo que utilizar iTunes para sincronizar puede ser su única opción para pasar documentos de un lado a otro. Hablaremos sobre iCloud más adelante en este capítulo.

1. Haga clic en el botón **Música** de las opciones de su iPad en iTunes.
2. Haga clic en la opción Listas de reproducción, artistas, álbumes y géneros seleccionados.
3. Marque todas las listas de la sección Listas de reproducción que desee incluir.
4. Marque los artistas de los que desee incluir todas las canciones.

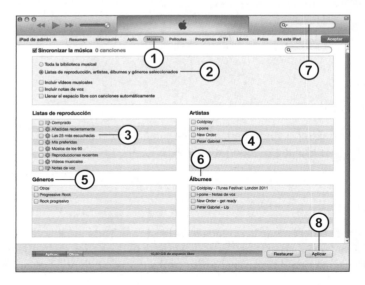

5. Marque todos los géneros que desee incluir completamente.

6. Marque los álbumes que desee incluir.

7. Utilice el cuadro de búsqueda para localizar artistas específicos.

8. Haga clic en el botón **Aplicar** si desea aplicar los cambios ahora.

Sólo una copia

Recuerde que las canciones nunca se duplicarán en su iPad. De este modo, si por ejemplo la misma canción apareciese en dos listas de reproducción y pertenece a un artista al que haya marcado para sincronizar, sólo habrá una copia de la canción en su iPad aunque aparezca en las dos listas y dentro de la entrada de ese artista, ese álbum y en la lista alfabética de todas las canciones.

Haga la lista

Otro modo de seleccionar las canciones a sincronizar con su iPad es utilizar la opción Toda la biblioteca musical, pero también puede elegir Sincronizar sólo las canciones y vídeos seleccionados en la ficha Resumen. Esto le permitirá decidir si sincroniza o no cada una de las canciones.

Otra opción es utilizar estrictamente listas de reproducción para sincronizar sin tener que ir marcando artistas o géneros. En ese caso, además de sus listas de reproducción normales, cree una llamada "Para iPAd" e incluya en ella todas las canciones que desee tener en su iPad. Marque esa lista para que se sincronice.

O utilice iTunes Match

iTunes Match es un servicio de Apple. Por una tasa anual, puede sincronizar su colección de música con los servidores de Apple. Después podrá acceder a toda la música de su iPad activando iTunes Match en los ajustes de Música de la aplicación Ajustes. Cuando lo haga, ya no necesitará sincronizar su música. Tendrá acceso a toda la música de su iPad, que se descargará desde los servidores de Apple cuando desee escuchar alguna canción en particular.

Visite http://www.apple.com/es/itunes/itunes-match/ para obtener más información sobre el servicio iTunes de Apple.

Sincronice todo lo que quiera

Además de la música, también puede sincronizar de un modo similar sus tonos, películas, programas de televisión, podcasts, libros y contenidos de iTunes U. Cada tipo de contenido tiene su propio modo de sincronización pero todos son similares a la música. Por ejemplo, dependiendo de su dispositivo, puede elegir entre sincronizar todos los tonos de llamada o seleccionarlos individualmente, si bien esta opción no tiene listas de reproducción. Las películas, los programas de TV y los podcasts se pueden incluir en las listas de reproducción, por lo que sus opciones de sincronización le permiten sincronizar listas si lo desea. Explore todas las páginas de sus opciones de sincronización para ver de qué opciones dispone.

Sincronizar fotos

Sincronizar fotos no es muy diferente a sincronizar música, en realidad. Puede elegir entre transferir todas sus fotos a su iPad o hacerlo por álbumes, eventos o caras.

1. Haga clic en el botón **Fotos** de las opciones de su iPad en iTunes.

2. Haga clic en la casilla de verificación Sincronizar fotos de. Si utiliza iPhoto, debería escoger iPhoto en el menú desplegable. Los usuarios de Mac también pueden elegir cualquier carpeta de la carpeta Imágenes.

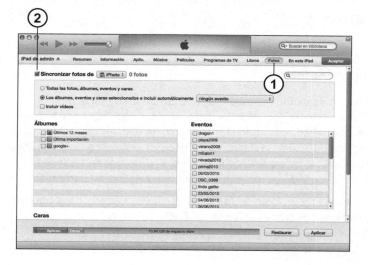

Si utiliza Windows, puede seleccionar la carpeta Mis imágenes o cualquiera otra. Todas las carpetas se tratan como álbumes, y puede seleccionar o deseleccionar cualquiera de ellas.

Podría sincronizar las fotos con su iPad empleando para ello una herramienta para fotos, como Photoshop Elements. Si elige este programa, podrá utilizar sus grupos como álbumes.

3. Indique si desea sincronizar todas las fotos o sólo las seleccionadas.

4. Si opta por las fotos seleccionadas, también puede escoger entre varios eventos recientes o sólo los de un periodo concreto.

5. Seleccione los álbumes que desee sincronizar.

6. Seleccione los eventos específicos que desee sincronizar.

7. También puede optar por sincronizar todas las fotos etiquetadas con una persona específica en iPhoto.

8. Haga clic en el botón **Aplicar** para aplicar los cambios.

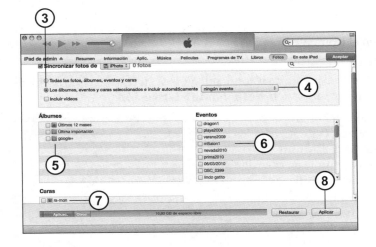

Sin duplicados

Como ocurre con la música, sólo tendrá una copia de cada foto, con independencia de las veces que aparezca la foto en álbumes, eventos y caras. Las fotos aparecen en todos los lugares apropiados pero sólo ocupan un punto de la memoria de su iPad.

Sentido único

Al igual que en el iPhone y el iPhone touch, la sincronización de álbumes de fotos sólo funciona en un sentido. Las fotos de su ordenador que sincronice con su iPad no podrá extraerlas para devolverlas a su ordenador. La sincronización de fotos entre su ordenador y su iPad sólo funciona en un sentido. El original está en su ordenador; lo que hay en su iPad es una simple copia más pequeña. Por tanto, es importante que conserve su biblioteca de fotos real en su ordenador y que se acuerde de hacerle una copia de seguridad.

SINCRONIZAR UTILIZANDO ICLOUD

Si dispone de una cuenta de iCloud de Apple, puede sincronizar los datos de su iPad por vía inalámbrica aunque no se encuentre en la misma ubicación. Si no tiene aún una cuenta de iCloud, conseguir una gratuita es muy sencillo. Puede que ya haya definido alguna al recorrer las pantallas de bienvenida inicial la primera vez que encendió su iPad.

1. Pulse en el icono **Ajustes** de la pantalla de inicio y, después, pulse sobre iCloud.

2. Si ya tiene una cuenta de iCloud, introduzca su ID y su contraseña de Apple y, luego, pulse sobre el botón **Iniciar sesión**.

3. Pulse sobre el botón **Obtener un ID de Apple gratuito** para crear un nuevo ID de Apple en caso de que nunca haya utilizado uno antes. Si ya dispone de una cuenta de iTunes, iBooks, iOS App Store o App Store de Mac, ya tiene una ID de Apple y debería utilizarla en el paso 2.

4. Escoja los datos que desea sincronizar con su cuenta de iCloud.

5. Puede activar el Correo de iCloud para utilizar una cuenta de correo de @icloud.com. La primera vez que la active, se le pedirá que cree una nueva de dirección de correo de @icloud.com. Aunque no tenga pensado utilizar esta nueva dirección para su correspondencia personal, no pasa nada por crear ahora esta cuenta puesto que es gratis.

6. Active Fotos en streaming para utilizar esta funcionalidad de iCloud. Hablaremos más sobre ella en el capítulo 9.

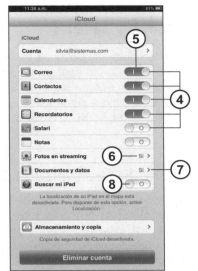

7. Active Documentos y datos para permitir a algunas aplicaciones guardar sus documentos en los servidores de iCloud en lugar de en la memoria local de su iPad. De este modo, sus datos estarán también disponibles para sus otros dispositivos con iOS, si bien no todas las aplicaciones tienen esta funcionalidad.

8. Si activa **Buscar mi iPad**, podrá utilizar esta funcionalidad para localizar su iPad si lo pierde o si se lo roban.

Crear una nueva ID de Apple

Si en el paso 3 decide crear una nueva ID de Apple porque nunca antes ha tenido una, el proceso es bastante sencillo. Se le pedirá que introduzca algunos datos en una breve secuencia de pantallas sencillas: fecha de nacimiento, nombre, dirección de correo electrónico y pregunta de seguridad. La dirección de correo electrónico que proporcione se convertirá en su ID de Apple, por lo que deberá introducir una que esté utilizando. Se le ofrecerá la posibilidad de crear una nueva dirección de correo de iCloud más adelante. Se le enviará un correo de verificación a la dirección que haya proporcionado. Deberá abrir este correo y hacer clic en el enlace que contiene para activar su cuenta antes de continuar.

Mantenga actualizado su iPad

Apple saca actualizaciones de iOS cada cierto tiempo. Y Apple y otros desarrolladores lanzan actualizaciones de las aplicaciones continuamente. Por lo general, estas actualizaciones son gratuitas y contienen útiles e importantes funcionalidades nuevas. Por tanto, no hay razón para no tener actualizado su iPad. De hecho, las actualizaciones a veces incluyen parches de seguridad por lo que debería estar muy atento a las actualizaciones que vayan apareciendo.

1. Pulse en el icono **Ajustes** de la pantalla de inicio y luego pulse sobre General.

2. Pulse en Actualización de software.

3. Si tiene la última versión de iOS, verá un mensaje como el de la imagen. Si no, siga las instrucciones que le proporcionen para actualizar su iPad.

4. En la pantalla de inicio, localice la aplicación de la **App Store**. Puede que también observe un número en un círculo rojo, superpuesto a este icono, que le indica cuántas aplicaciones tienen actualizaciones disponibles.

5. Pulse en el botón **Actualizar**. Le llevará a una pantalla con la lista de las actualizaciones disponibles para las aplicaciones.

6. Pulse en el botón **Gratis** para descargarse la versión actualizada de esa aplicación.

7. Pulse en **Actualizar todo** si lo que desea es descargar e instalar todas las actualizaciones.

Objetivos:

En este capítulo aprenderá a utilizar las aplicaciones Música y Vídeo para reproducir música y ver vídeos.

Reproducir una canción.

Crear una lista de reproducción.

Hacer compras en iTunes.

Descargar podcasts.

Reproducir vídeos.

Utilizar AirPlay para reproducir música y vídeo en otros dispositivos.

Compartir en casa.

4. Reproducir música y vídeo

La reproducción de música en el iPad se controla igual que se ha hecho siempre en el iPod o el iPhone, con el añadido de que su gran pantalla le permite desplazarse mejor por su colección.

REPRODUCIR UNA CANCIÓN

Vamos a empezar por algo tan sencillo como seleccionar una canción y reproducirla con la aplicación Música.

1. Pulse sobre el icono **Música**, que probablemente se encuentre en la base de su pantalla de inicio.

Reproducir música de iTunes Match

Si utiliza iTunes Match, verá toda su música en la lista, incluso canciones que no estén actualmente en su iPad. Puede seguir pulsando sobre el nombre de una canción para reproducirla. La canción se descargará y se reproducirá siempre que esté conectado a Internet. También puede pulsar sobre el icono de **iTunes Match (la nube)** de cada una de las canciones para descargársela y escucharla más tarde aunque no esté conectado entonces. Esta opción es la recomendada si no va a disponer de conexión a Internet y tiene pensado escuchar música.

Encontrará más información sobre el servicio iTunes Match de Apple en
http://www.apple.com/es/itunes/itunes-match/.

2. Pulse sobre **Canciones** en la parte inferior, si no está ya seleccionado.

3. Pulse en el nombre de la canción para reproducirla.

4. En la parte superior de la pantalla, el botón cuadrado de reproducción pasará a ser un botón de pausa. La barra roja que indica el progreso de la reproducción comenzará a moverse.

5. Utilice el deslizador de volumen de la parte superior para ajustar el volumen o utilice los controles de volumen físicos.

6. Pulse sobre la cubierta del álbum de la parte superior para verla ampliada.

7. Cuando vea la cubierta del álbum en la pantalla, pulse en el centro de ésta para que aparezcan los controles de reproducción y volumen junto con el nombre del artista, la canción y el álbum.

8. Pulse en el botón de reproducción para hacer que su iPad repita todas las canciones de la lista. Púlselo por segunda vez para repetir la canción actual otra vez.

9. Pulse en el botón **Mezclar** para hacer que su iPad reproduzca las canciones de la lista en orden aleatorio.

10. Pulse el botón de la parte inferior con la flecha hacia la derecha para volver a la interfaz principal de la aplicación Música.

¿De qué otras maneras puedo escuchar música?

También puede escuchar música en otras aplicaciones de terceros. Hay aplicaciones que acceden a la colección de música de su iPad pero las más interesantes reproducen música en streaming a través de Internet. En el capítulo 15 hablaremos de aplicaciones como Pandora.

11. Pulse sobre cualquiera de los botones de la parte inferior de la pantalla (**Listas**, **Canciones**, **Artistas**, y **Álbumes**) para ordenar la lista de canciones.

12. Cuando ordene por álbumes o géneros, verá una rejilla de portadas de álbumes. Sólo tiene que pulsar en cualquier álbum para ver el álbum y las versiones que contiene. Pulse sobre el nombre de una canción para reproducirla.

13. Pulse en el campo de búsqueda de la esquina inferior derecha para buscar en su lista de canciones.

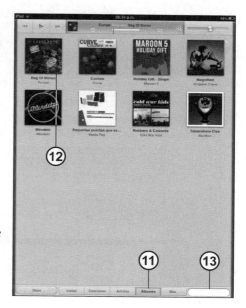

Reproducir música con Siri

Puede utilizar Siri para reproducir música. Estos son algunos ejemplos:

"Reproduce a los Beatles".

"Reproduce Pájaros de Barro".

"Reproduce algo de rock".

"Reproduce música para conducir" (reproducirá una lista de reproducción llamada "para conducir").

"Mezclar todas las canciones".

"Sáltate esta canción".

"Pausa".

CREAR UNA LISTA DE REPRODUCCIÓN

Aunque puede crear listas de reproducción de iTunes en su PC o Mac, también puede crear listas reales en su iPad.

1. Pulse en el botón **Listas** de la esquina inferior izquierda de la pantalla principal de la aplicación Música.

2. Se mostrará una lista con las listas de reproducción actuales. Pulse el botón **Nueva**.

3. Asígnele un nombre a la nueva lista de reproducción y pulse sobre **Guardar**.

4. Dentro de la lista expandida de su música, pulse sobre los botones + que hay junto a cada una de las canciones que desea escuchar.

5. Pulse sobre los botones de ordenación de la parte inferior de la pantalla para ordenar su música.

6. Utilice el campo de búsqueda de la esquina inferior derecha para localizar las canciones con mayor rapidez.

7. Pulse en el botón **OK** cuando haya seleccionado todas las canciones que desee añadir a la lista de reproducción.

Listas de reproducción de Genius

Si activa la funcionalidad Genius de la copia de iTunes de su PC o Mac, puede utilizar la lista de reproducción de Genius para crear listas de reproducción. Haga clic en el icono del átomo y seleccione una canción para utilizarla como comienzo de la lista de reproducción Genius. iTunes seleccionará otra canción similar de su colección y creará una lista de reproducción utilizando el nombre de esa canción.

8. Dentro de la pantalla de edición, puede eliminar canciones de la lista de reproducción pulsando en los botones rojos.

9. Pulse sobre los botones de tres líneas y arrastre para reordenar las canciones.

10. Pulse en **OK** para completar la lista de reproducción. La próxima vez que sincronice su iPad con iTunes, también se sincronizará la nueva lista de reproducción.

HACER COMPRAS EN ITUNES

Si desea añadir más música a su iPad, dispone de muchas opciones. Puede añadir más música a la colección de iTunes de su ordenador y sincronizar después estas canciones con su iPad, en cuyo caso puede comprarlas en iTunes, en otra tienda online o importar música desde un CD.

¿Qué otras maneras tengo de conseguir música?

En su iPad sólo puede comprar música mediante la aplicación iTunes pero puede sincronizar música que tenga en su ordenador y que haya conseguido de cualquier otra fuente que no utilice una protección especial, como los CD que se importan desde iTunes. En Internet, puede comprar en sitios como Amazon. com, eMusic.com, cdbaby.com e incluso directamente desde los sitios Web de algunos artistas.

Además de sincronizar la música de su ordenador con su iPad, puede comprar música, películas, programas de TV y audiolibros directamente utilizando la aplicación iTunes y la misma cuenta que emplea para iTunes en su ordenador.

1. Pulse en el icono de la aplicación **iTunes** de su pantalla de inicio para acceder a la tienda de iTunes.

2. Utilice los botones de la parte superior de la pantalla para escoger el género musical a visualizar.

3. Desplace de izquierda a derecha las listas de sección con el dedo para ojear los álbumes más destacados.

4. Utilice el campo de búsqueda de la parte superior para buscar un artista, un álbum o una canción por su nombre.

5. Arrastre pantalla hacia arriba para que se muestren más listas, como los álbumes de actualidad o los que están a precio especial.

6. Escoja una de las opciones sugeridas de la lista, o pulse en el botón **Buscar** del teclado para completar la búsqueda.

7. Localice un álbum que quiera comprar y pulse sobre su portada para ver más información.

Sincronizar dispositivos

Después de hacer una compra por iTunes, la música, el programa de TV o la película que se haya descargado debería transferirse a su ordenador la próxima vez que sincronice su iPad. Puede sincronizar su nueva compra desde su ordenador con cualquier otro dispositivo que utilice su cuenta de iTunes.

8. Pulse sobre el nombre de una canción para escuchar un fragmento.

9. Pulse fuera de la ventana del álbum para cerrarla y regresar a la vista anterior.

10. Para comprar una canción, un álbum o cualquier elemento en la tienda de música de iTunes, pulse sobre el precio de dicho elemento y, luego, pulse de nuevo sobre el botón **Comprar**.

¿Puedo agregar mis vídeos caseros?

Si graba un vídeo casero con una videocámara, su iPod touch o su iPhone, puede llevárselo a iTunes con su PC o Mac y sincronizarlo con su iPad. Aparecerá dentro de Películas junto al contenido adquirido.

¿Y mis DVD?

Puede que haya pensado que si puede importar el contenido de sus CD desde iTunes, podrá importar también el contenido de sus DVD. Bueno, técnicamente, es posible hacerlo (aunque no necesariamente legal) mediante programas como Handbrake (`http://handbrake.fr/`), disponible para PC y Mac, que le permitirá importar el contenido y arrastrar después el archivo resultante hasta iTunes. Una vez hecho esto, podrá sincronizarlo con su iPad.

Comprar y alquilar vídeos

Aunque el proceso de comprar vídeos es, en esencia, el mismo que para comprar música, hay algunos detalles significativos que son diferentes. Vale la pena que eche un vistazo a estos detalles para que sepa dónde se mete antes de gastarse el dinero.

▶ **Protección anticopia:** Aunque la música de iTunes ha dejado hace poco de tener protección anticopia, el caso de los vídeos es totalmente diferente. Los vídeos que compre sólo se pueden reproducir en los dispositivos Apple que posea y que utilicen su cuenta de iTunes. Por ejemplo, no puede grabar los vídeos en un DVD o verlos en una TV a menos que estén conectados a un dispositivo Apple. Los alquileres son aún más estrictos porque sólo puede ver los vídeos en el dispositivo en el que los ha alquilado.

▶ **Coleccionar películas:** ¿Tiene pensado empezar una colección de vídeos comprándoselos a Apple? Estos vídeos pueden ocupar mucho espacio en su disco duro. Un iPad, incluso uno de 64 GB, se quedaría rápidamente sin espacio si empezara a llenarlo con decenas de películas.

▶ **Alquilar para ver más tarde:** Los vídeos alquilados tienen algunas restricciones bastante estrictas en lo referente a su reproducción. Una vez descargado un vídeo alquilado, dispone de 30 días para verlo. Cuando haya empezado a verlo, sólo dispone de 24 horas para terminarlo. Esto le permite cargar su iPad con antelación con varias películas para verlas durante un vuelo o las vacaciones.

▶ **Temporadas de series de TV:** Puede comprar temporadas de series de TV que aún no han terminado. Lo que se hace en estos casos es, básicamente, hacer un pedido anticipado de cada episodio, de modo que se obtienen de inmediato los episodios existentes aunque hay que esperar para ver los futuros. Suelen aparecer al día siguiente de su emisión por el canal de televisión.

▶ **Multipase:** Además de los abonos de temporada, también puede hacerse con un multipase, que se utiliza para programas de televisión que se emiten a diario. Al comprar un multipase, se obtiene el episodio más reciente más los quince siguientes cuando estén disponibles.

▶ **HD frente a SD:** Puede comprar o alquilar las películas más recientes tanto en HD (Alta definición) como en SD (Definición estándar). La diferencia está en la calidad de la imagen que, obviamente, también afecta al tamaño del archivo. Si dispone de una conexión lenta o de un ancho de banda limitado, quizá desee quedarse con la versión en SD de los programas.

▶ **Películas de iCloud:** Si utiliza iCloud, algunas de las películas que compre (no las de alquiler) aparecerán también en su aplicación Vídeos a pesar de que no se encuentren realmente en su iPad. Verá que, junto a ellas, aparece un pequeño icono de iCloud. Puede pulsar sobre este icono para iniciar la descarga de la película desde los servidores de Apple hasta su iPad. De este modo, podrá comprar películas de Apple sin tener que preocuparse de dónde las va a guardar; sólo tendrá que descargárselas de Apple en el momento en que quiera verlas. Pero esto sólo funciona si los estudios cinematográficos le han dado a Apple los derechos para almacenar y distribuir la película de esta manera.

DESCARGAR PODCASTS

Los podcasts son programas de audio o vídeo que se descargan por entregas y que están producidos por los principales canales, por pequeñas compañías o por particulares. Los hay de casi todo tipo de contenido imaginable: noticias, información, tutoriales, música, comedia, drama, entrevistas, etc.

Para suscribirse a un podcast y poder verlo o escucharlo, deberá acceder a la aplicación Podcasts de Apple. Puede encontrarla en la App Store y añadirla a su iPad gratuitamente. En el capítulo 15 encontrará una explicación de cómo obtener una nueva aplicación paso a paso.

1. Pulse sobre el icono **Podcasts** de su pantalla de inicio.

2. Pulse sobre el botón **Biblioteca** para buscar todos los podcasts que ya se haya descargado. Si empieza por mirar en su biblioteca, en la parte inferior izquierda verá un botón equivalente que pone **Tienda** y que le llevará de regreso a esta pantalla.

3. Utilice el campo de búsqueda para buscar un podcast por nombre o palabra clave.

4. Pulse sobre un podcast para obtener más información sobre él. También puede hacer un barrido a derecha o izquierda para ver otros elementos de la lista.

5. Pulse en Valoraciones y reseñas para ver lo que opinan otros usuarios.

6. Pulse sobre el botón de descarga (la flecha que apunta hacia abajo) que hay junto a cada contenido para descargarse solamente ése.

7. Pulse en **Suscríbete** para suscribirse al podcast. Al hacerlo, se descargará la grabación más reciente y también conseguirá las nuevas entregas conforme vayan estando disponibles.

8. Utilice el botón **Biblioteca** del paso 2 para acceder a la lista de podcasts y visualizarlos por sus iconos o en forma de lista. Pulse en el botón de la lista para verlos como una lista de entregas en el lado derecho.

9. Pulse sobre la grabación para escucharla o verla. Barra con el dedo de izquierda a derecha sobre una entrega para borrarla.

10. Pulse sobre el botón de información para obtener más detalles sobre una entrega y marcarla como reproducida sin tener que escucharla.

11. Pulse en el botón de ajustes para configurar la ordenación y las preferencias de descarga automática del podcast.

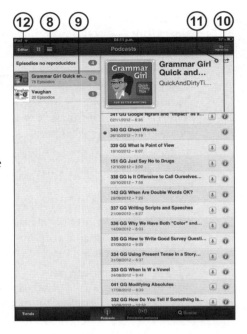

12. Pulse en **Editar** para poder borrar las suscripciones de los podcasts de su biblioteca.

REPRODUCIR VÍDEOS

Las películas, los programas de televisión y los podcasts de vídeos que tenga en su iPad deberá reproducirlos con la aplicación Vídeos.

¿Existen alternativas a Apple para descargar vídeos?

Por supuesto. Una aplicación para Netflix ejecutada en el iPad que permite a los suscriptores de Netflix hacer uso de las películas en streaming. Amazon también ofrece a sus suscriptores una aplicación, Amazon Instant Video. Algunas cadenas, como ABC, también proporcionan sus propias aplicaciones para reproducir sus programas en el iPad. También puede reproducir vídeos desde cualquier sitio que tenga los vídeos en el formato MP4 estándar. El sitio http://www.archive.org/details/movies tiene películas y vídeos de dominio público que, muchas veces, poseen formato MP4. El popular sitio de vídeos http://blip.tv también funciona buen en el iPad.

1. Pulse en el icono de la aplicación **Vídeos** de su pantalla de inicio.

2. Por defecto se mostrarán las películas que tenga en su iPad. Pulse sobre los botones correspondientes para ver las listas de los programas de televisión o los podcasts. Si no tiene una o varias de estas categorías, el botón correspondiente no aparecerá.

3. Pulse sobre una película para obtener información sobre ella.

4. Pulse en el botón de reproducción para iniciar la película.

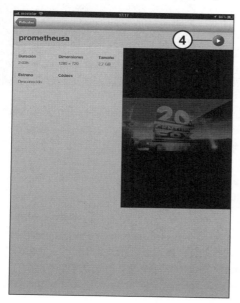

Cambiar la orientación

En la mayoría de los contenidos de vídeo, puede rotar su iPad para verlos en orientación horizontal y utilizar el botón de zoom de la esquina superior derecha para recortar los lados izquierdo y derecho del vídeo, de modo que se ajuste verticalmente a la pantalla como cuando se visualiza la película en una televisión normal.

5. Cuando la película se esté reproduciendo, pulse en el centro de la pantalla para mostrar los controles.

6. Pulse en el botón **OK** para salir de la película y volver a la pantalla que contiene la información de ésta.

7. Pulse en el botón de pausa para detener la película. Pulse de nuevo para reanudar la reproducción.

8. Ajuste el volumen con el control de volumen.

9. Arrastre el punto por la línea para desplazarse a una parte distinta de la película.

10. Utilice los botones de retroceso y avance para saltar entre capítulos.

11. Utilice el botón **AirPlay** para enviar la señal de vídeo a otro dispositivo, como una Apple TV. Consulte a continuación la sección dedicada a AirPlay que viene a continuación. .

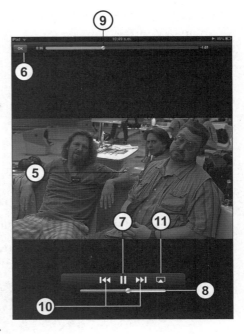

¿Qué ha pasado con la aplicación de YouTube?

En iOS 5 y versiones anteriores de iOS, había una aplicación especial de YouTube que permitía ver vídeos de este sitio Web. En iOS 6 se ha eliminado pero puede seguir viendo los vídeos de YouTube accediendo con Safari a `http://youtube.com`, como haría en un ordenador normal. También es posible que, en algún momento del futuro, Google lance una nueva aplicación independiente para YouTube: pruebe a buscarla en la App Store.

UTILIZAR AIRPLAY PARA REPRODUCIR MÚSICA Y VÍDEO EN OTROS DISPOSITIVOS

En iTunes, en la aplicación Vídeos y muchas otras que reproducen música o vídeo, dispone de la opción de enviar la señal (*stream*) de audio o vídeo desde su iPad hasta otro dispositivo conectado a la misma red inalámbrica, como una Apple TV.

Previamente deberá activar AirPlay en estos dispositivos. Por ejemplo, si utiliza Apple TV (los modelos de 2ª generación), deberá acceder a los ajustes del dispositivo y activar AirPlay. También tendrá que asegurarse de que el dispositivo utiliza la misma red Wi-Fi que su iPad.

1. Busque el botón **AirPlay** en la aplicación que esté utilizando. Púlselo para mostrar una lista con los dispositivos disponibles.

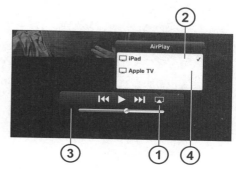

2. El primer dispositivo que aparecerá será su iPad. Utilícelo para regresar a la reproducción del contenido en su iPad en caso de que haya cambiado a algún otro.

3. Junto a cada dispositivo, verá el icono de una pantalla o el de un altavoz indicándole que puede reproducir el audio o el vídeo utilizando este dispositivo.

4. Pulse en otro dispositivo para que la música o el vídeo que se está reproduciendo actualmente empiece a reproducirse en ese otro.

Duplicar pantallas

Puede utilizar AirPlay para duplicar la pantalla de su iPad con una Apple TV 2 actualizada. Sólo tiene que acceder al selector multitarea y desplazarse hasta la sección de controles (encontrará más información en el capítulo 15). Allí también hay un botón **AirPlay** que puede utilizar para activar la duplicación y enviar su pantalla a la Apple TV. No obstante, algunas aplicaciones bloquean esta funcionalidad en concreto.

COMPARTIR EN CASA

Si utiliza iTunes en su PC o Mac, puede reproducir el contenido de iTunes en su iPad si se encuentra en la misma red local.

1. Acceda al menú de iTunes en su PC o Mac y escoja Activar "Compartir en casa" dentro de Biblioteca. Se le pedirá que introduzca el ID y la contraseña de su cuenta de Apple.

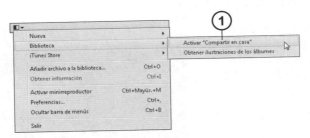

2. Dentro de la aplicación ajustes, escoja Música.

3. Introduzca el ID y la contraseña de la misma cuenta.

4. En la aplicación Música, pulse sobre el botón **Más** de la parte inferior de la pantalla.

5. Pulse sobre Compartido y escoja el nombre de la biblioteca a la que desea acceder. El contenido de su aplicación Música pasará a reflejar el de la biblioteca de iTunes de su PC o Mac permitiéndole reproducir canciones desde su ordenador sin tener que transferirlas previamente a su iPad.

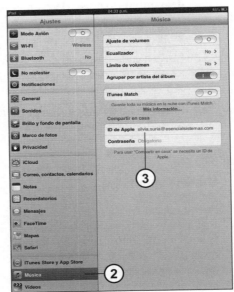

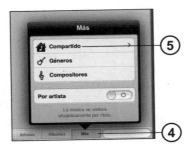

¿Por qué no aparece mi biblioteca?

"Compartir en casa" tiene sus peculiaridades. Requiere utilizar los mismos ID de cuenta de iTunes tanto en su iPad como en su PC o Mac. También deberá tener el iPad en la misma red local que su PC o Mac. Además, puede que los cortafuegos de red u otros programas interfieran en este proceso. Suele funcionar sin necesidad de acciones adicionales, si bien hay algunos usuarios que no han conseguido compartir de este modo debido a la configuración particular de la red de su casa.

Objetivos:

Descubra cómo comprar libros en la tienda de iBooks y cómo leerlos en su iPad.

Comprar un libro en Apple.

Leer un libro.

Ayuda para la lectura.

Añadir notas y resaltar.

Añadir marcadores.

Organice sus libros.

Alternativas a iBooks.

5. Leer libros

Por fin tenemos un medio para disfrutar mejor de nuestros libros. Como lector de libros electrónicos, su iPad puede darle acceso a novelas y a manuales, ya que le permite almacenar cientos en su interior y adquirirlos directamente desde el dispositivo.

La aplicación iBooks le permite tanto leer como comprar libros nuevos. También puede descargarse y agregar libros de otras fuentes.

COMPRAR UN LIBRO EN APPLE

Lo primero que tiene que hacer con la aplicación iBooks es descargarse algunos libros. Puede comprar libros utilizando la tienda de la aplicación, en la que también encontrará algunos libros gratuitos.

1. Pulse en el icono **iBooks** para iniciar iBooks.

2. Pulse en el botón **Tienda** para pasar a la tienda de iBooks.

¿Prefiere no comprar en Apple?

No tiene por qué comprar sus libros en Apple. Puede comprárselos a cualquier vendedor que le envíe un archivo en formato ePub o PDF sin protección anticopia. Una vez que tenga el archivo, sólo tendrá que arrastrarlo y soltarlo en iTunes. Se añadirá a la colección que tenga allí y podrá sincronizarlo con su iPad.

3. Haga un barrido con el dedo de izquierda a derecha para ver más libros destacados.

4. En la parte superior, puede ver una lista de categorías de libros.

5. Pulse en el botón **Top charts** para ver cuáles son los libros más vendidos.

6. Haga un barrido para ver más categorías destacadas.

7. Utilice el campo de búsqueda para buscar por títulos y autores.

8. Pulse sobre cualquier portada para obtener más información sobre los títulos y sus autores.

9. Pulse sobre el precio que hay junto a cada libro para comprarlo.

10. El botón del precio cambiará por otro que pone **Comprar libro**. Pulse sobre él para realizar la compra.

11. Pulse en el botón **Muestra** para descargarse una muestra del libro.

LEER UN LIBRO

Leer libros es un proceso sencillo. Vamos a ver los pasos esenciales que debe seguir para leer los libros descargados.

1. Pulse sobre el icono de la aplicación de **iBooks** para iniciar iBooks.

2. Pulse sobre un libro para abrirlo.

¿No encuentra su libro?

¿Se ha descargado un libro y ahora no lo encuentra en su biblioteca? Pruebe a pulsar sobre el botón **Colecciones** de la parte superior de la pantalla para cambiar a una colección diferente. Por ejemplo, los documentos PDF se colocan por defecto en la colección PDF en vez de en la de Libros.

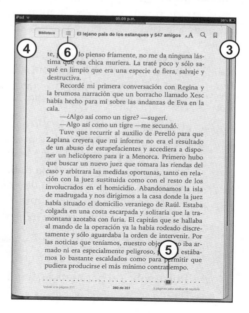

3. Para pasar la página virtual, pulse en cualquier punto del lado derecho de la página, mantenga pulsado y arrastre hacia la izquierda.

4. Para pasar la página a la inversa, pulse y arrastre de izquierda a derecha o simplemente pulse en el lado izquierdo de la página.

5. Para moverse rápidamente por las páginas, pulse sobre el pequeño marcador de la parte inferior de la página y arrástrelo por la línea de puntos. Suéltelo para saltar a una página.

6. Pulse sobre el botón de la lista de la parte superior para ver la tabla de contenidos.

7. Pulse en el botón **Seguir** para volver a la página que estaba viendo anteriormente.

8. Pulse en el botón **Biblioteca** para volver a sus libros. Si regresa a este libro más tarde, lo hará por la última página que estaba viendo.

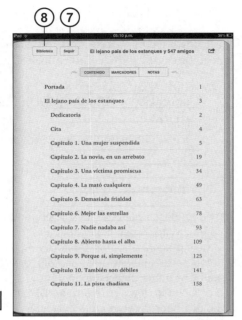

¿Cansado de los efectos especiales?

Si se aburre del efecto del cambio de página, también puede pasarlas mediante una pulsación rápida en el lado derecho o izquierdo de la pantalla. Seguirá viendo el efecto pero será más rápido.

AYUDA PARA LA LECTURA

iBooks le permite mejorar la experiencia lectora de varias maneras. Puede cambiar el tamaño del texto, la fuente e incluso poner el iPad de lado para ver dos páginas a la vez.

1. Cuando esté viendo una página en iBooks, pulse sobre los controles de ajuste de la visualización que hay en la parte superior de la pantalla.

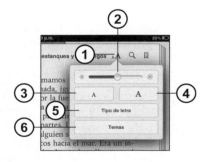

2. Arrastre el control de brillo a izquierda o derecha. Al arrastrarlo a la izquierda atenuará la pantalla, lo que le vendrá bien si está leyendo en una habitación oscura. Al arrastrarlo a la derecha hará que la pantalla sea más luminosa, lo que le permitirá leer mejor en exteriores.

3. Pulse sobre el botón de la **A** más pequeña para reducir el tamaño del texto.

4. Pulse sobre el botón de la **A** más grande para aumentar el tamaño del texto.

5. Pulse sobre el botón **Tipo de letra** para escoger entre varias opciones de fuentes.

6. Pulse en el botón **Temas** para seleccionar uno de los tres temas de color (Blanco, Sepia o Noche). También puede escoger si prefiere que el fondo sea blanco o si desea pasar las páginas o desplazar el contenido en vertical.

7. Ponga su iPad de lado para cambiar a la vista de dos páginas (asegúrese de no tener bloqueada la orientación).

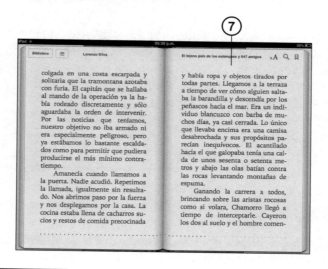

¿Dónde están los botones?

Si pulsa en el centro de la pantalla, los botones de la parte superior y la línea de puntos de la parte inferior desaparecerán. Podrá seguir pasando las páginas pero ya no tendrá acceso a estos botones. Para ver los botones de nuevo, pulse en el centro de la pantalla.

AÑADIR NOTAS Y RESALTAR

Cada vez que inicie iBooks, su iPad le devolverá a la página en la que abandonó la lectura. Sin embargo, habrá ocasiones en las que desee marcar uno de sus pasajes favoritos o algún dato clave.

1. Acceda a una página de un libro de iBooks.

2. Haga una pulsación doble sobre una palabra.

3. Verá seis opciones: Copiar, Definir, Resaltar, Nota, Buscar y Compartir.

Definir y buscar

Al pulsar en Definir, se mostrará una definición de la palabra. Si pulsa en Buscar, se mostrará una lista con los puntos del texto en los que se encuentra la palabra.

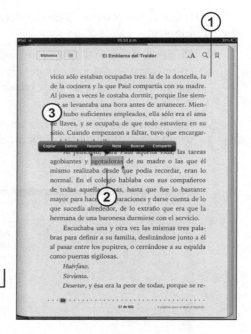

Compartir desde iBooks

Si escoge Compartir, podrá enviarle a alguien el extracto que haya seleccionado por correo electrónico, por un mensaje de texto o a través de Twitter o Facebook.

4. Arrastre los puntos azules para aumentar la sección de texto resaltado.

5. Pulse sobre Resaltar o bien pulse sobre una palabra, mantenga la pulsación durante un segundo y empiece a arrastrar de inmediato para resaltar el texto.

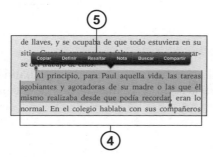

6. El texto se mostrará resaltado ahora.

7. Pulse en el primer botón para cambiar el tipo de resaltado. Puede escoger entre varios colores o un subrayado rojo sencillo.

8. Pulse para eliminar el resaltado.

9. Pulse sobre Nota en vez de sobre Resaltado para mostrar una hoja de bloc en la que añadir una nota.

10. Pulse sobre la nota para mostrar el teclado y comenzar a escribir.

11. Pulse fuera del papel para terminar la nota, que pasará a mostrarse como una pequeña nota adhesiva en el lado derecho de la página. Puede pulsar sobre ella en cualquier momento para ver o modificar su contenido. Para borrar una nota, elimine todo el texto que contiene.

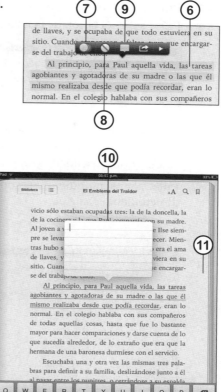

AÑADIR MARCADORES

También puede marcar una página para poder encontrarla en otra ocasión con más facilidad.

1. Pulse sobre el botón del marcador de la parte superior de la página para marcarla. Puede marcar cuantas páginas desee dentro de un libro.

2. Pulse de nuevo sobre el botón para eliminar la marca de la página.

3. Pulse sobre el botón de la lista para acceder a la tabla de contenidos.

4. Pulse en el botón **Marcadores** de la parte superior de la tabla de contenidos para ver una lista con todos los marcadores, textos resaltados y notas que haya añadido al libro.

5. Pulse sobre cualquier marcador, nota o texto resaltado para ir directamente hasta él.

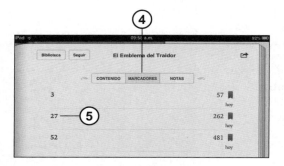

ORGANICE SUS LIBROS

¿Le gusta mucho leer? No es el único. Estoy seguro de que hay mucha gente que tiene una gran colección de libros en sus iPads. Por suerte, iBooks le permite organizar sus libros de varias maneras.

1. Acceda a su página principal de iBooks: su biblioteca.

2. Pulse en el botón **Colecciones**.

3. Pulse en el nombre de una colección para acceder a ella. Las colecciones son como cajas repletas de libros.

4. Pulse en **Nueva** para crear una colección nueva.

5. Pulse en **Editar** para borrar o reordenar las colecciones de la lista.

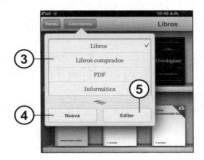

6. Pulse en el botón **Editar** para pasar a modo edición.

7. Pulse sobre uno o varios libros para seleccionarlos.

8. Pulse en el botón **Trasladar** para mover esos libros a otra colección.

9. Pulse en el botón **Eliminar** para borrar esos libros.

Libros en la nube

Cuando acceda a la colección Libros comprados, verá todos los libros que ha comprado en el pasado, aunque algunos de esos libros ya no estén en su iPad porque lo ha borrado. Estos libros mostrarán un pequeño icono de iCloud en la esquina superior derecha y se descargarán cuando los seleccione.

10. Pulse sobre un libro, mantenga la pulsación y arrástrelo con el dedo para colocarlo en otro lugar de la biblioteca. Esto se puede hacer tanto en modo normal como en modo edición.

11. Pulse en **OK** para salir del modo edición.

Otro modo de borrar

También puede borrar libros de la lista barriendo con el dedo de izquierda a derecha sobre el título del libro. En el lado derecho aparecerá un botón **Eliminar**; púlselo para borrar el libro.

12. Pulse sobre el botón de la vista de lista.

13. Este botón le muestra una lista vertical de sus libros. Puede desplazarla arriba y abajo arrastrándola y deslizándola.

14. Pulse sobre los botones **Títulos**, **Autores** y **Categorías** de la parte inferior de la pantalla para cambiar el orden de la lista.

15. Utilice el campo de búsqueda para buscar en su biblioteca. Si no ve el campo de búsqueda, pulse sobre la lista completa y arrastre hacia abajo para mostrarlo.

    También puede arrastrar la pantalla hacia abajo para mostrar el cuadro de búsqueda de la vista de libros normal y escribir en él la palabra clave de búsqueda.

ALTERNATIVAS A IBOOKS

La protección anticopia le impide llevarse sus ebooks de una plataforma a otra. Afortunadamente existen las aplicaciones Kindle y Nook para iPad con las que puede leer los libros que compre de estas tiendas.

1. Cuando inicie la aplicación Kindle, verá una pantalla que muestra su biblioteca. Pulse sobre un libro para abrirlo.

2. Pulse en el centro de la página para mostrar los controles en las partes superior e inferior.

3. Pulse sobre el botón **Aa** para cambiar el tamaño de la fuente.

4. Pulse en el lado derecho para pasar a la siguiente página.

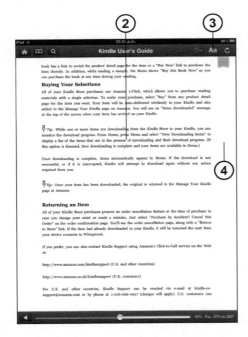

Nube frente a dispositivo

La nueva aplicación Kindle lleva un control **Nube/Dispositivo** en la parte inferior de la pantalla. Si escoge **Nube**, verá todos los libros que haya comprado. Si escoge **Dispositivo**, verá los libros que están en su iPad listos para ser leídos. Puede pulsar sobre un libro de la pantalla Nube para descargárselo en su dispositivo. Una vez descargado, pulse de nuevo sobre el libro para leerlo.

Más alternativas para ebooks

Si le gusta comprar sus libros en Barnes & Noble, también puede hacerse con la aplicación Nook, que le permite leer los libros que se compran en la tienda Nook. Si tiene un Nook y ya ha comprado libros, puede acceder a ellos y cargarlos en su iPad.

Otra aplicación que puede utilizar es Google Play Books. Funciona con los libros comprados en la tienda Google Play, similar a la tienda de Amazon Kindle o la iBookstore. Cuando compre, puede elegir entre hacerlo en Apple, Amazon, Barnes & Noble o Google.

Objetivos:

En este capítulo aprenderá
a agregar y buscar
contactos y eventos
de calendario. También
comentaremos
la aplicación Notas.

Añadir un contacto.

Buscar un contacto.

Trabajar con contactos.

Crear un evento
de calendario.

Cómo utilizar las vistas
de Calendario.

Crear notas.

Crear recordatorios.

Crear alarmas con
la aplicación Reloj.

6. Organice su vida

Tanto si usted es un profesional muy bien relacionado como si es simplemente alguien con muchos amigos, puede utilizar su iPad para organizar su vida mediante las aplicaciones Contactos y Calendario. Vamos a echar un vistazo más de cerca a algunas de las cosas que puede hacer con estas aplicaciones.

AÑADIR UN CONTACTO

Si utiliza los contactos de su Windows o el equivalente para Mac, puede transferir todos sus contactos a su iPad la primera vez que los sincronice, aunque también los puede añadir directamente en el iPad.

1. Pulse sobre el icono **Contactos** para iniciar la aplicación.

2. Pulse en el botón + que hay en la parte inferior de la pantalla. Se mostrará el formulario para añadir un nuevo contacto.

3. Escriba el nombre del contacto. No hace falta que ponga la primera letra en mayúscula, ya que aparece automáticamente.

4. Pulse en la tecla **Intro** del teclado para pasar al campo siguiente.

5. Siga tecleando datos en los campos y pulse **Intro**. Pulse **Intro** para saltarse los campos que no desee rellenar.

6. Pulse en **Añadir foto** para añadir una foto de uno de sus álbumes.

7. Pulse en el botón + verde que hay junto a **Añadir dirección** para añadir una dirección física al contacto.

8. Pulse en el botón + verde que hay junto a **Añadir campo** para añadir campos como prefijo, cargo, departamento, cumpleaños, etc. Para ver el botón, deberá desplazar el contenido.

9. Pulse en el nombre del campo que le gustaría añadir, o pulse fuera del menú emergente para cerrarlo.

10. Pulse en el botón **OK** para completar el nuevo contacto.

No se preocupe por el formato

No hace falta que teclee los números de teléfono con paréntesis, guiones o espacios; su iPad se ocupará de dar formato a los números.

Sincronización de contactos

Los contactos que agregue a su iPad se sincronizarán con su ordenador la próxima vez que se conecte. Si tiene el servicio iCloud, el contacto se debería sincronizar con todos sus dispositivos que tengan activado iCloud en cuestión de minutos siempre que su iPad y estos dispositivos estén conectados a Internet.

Siri: llámame Ray

En los contactos, puede definir un campo Sobrenombre. Si hace esto y resulta que el contacto es usted, Siri le llamará por ese nombre. Puede decirle a Siri en cualquier momento: "Llámame (nombre)" para que cambie su sobrenombre aunque no esté en la aplicación Contactos en ese momento.

También puede establecer relaciones con sus contactos diciendo cosas como "Carlos es mi marido".

BUSCAR UN CONTACTO

Si antes no tenía muchos amigos, estoy seguro de que habrá hecho unos cuantos desde que se convirtió en el primero en tener un iPad. ¿Cómo puede hacer ahora para encontrar el contacto que busca en esa lista tan larga?

1.   Pulse en el icono **Contactos** para iniciar la aplicación.

2. Pulse en el campo de búsqueda. En la parte inferior de la pantalla, aparecerá un teclado.

3. Empiece por escribir el nombre de la persona que está buscando. Tan pronto como empiece a escribir, la aplicación empezará a hacer una lista de los contactos que contienen las letras que haya escrito.

4. Siga escribiendo hasta que reduzca la lista de nombres y localice el que busca.

5. Pulse en el nombre para mostrar en contacto.

6. Pulse en el botón **X** para abandonar la búsqueda.

Otras maneras de encontrar contactos

También puede arrastrar (o deslizar, para mover rápidamente) la lista de contactos para buscar un nombre. Además puede servirse de la lista de letras del lado izquierdo de la aplicación de contactos para saltar directamente a esa letra en su lista de contactos.

Siri: Busca

También puede utilizar Siri para buscar un contacto. Pruebe con las siguientes frases:

"Busca a Juanjo".

"Busca mi contacto".

"Busca a mi marido".

TRABAJAR CON CONTACTOS

Si ya tiene contactos en su iPad, en la aplicación Contactos puede hacer varias cosas con ellos.

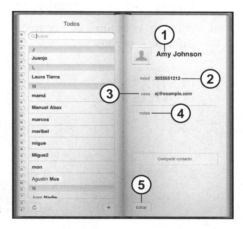

1. Pulse sobre el nombre y mantenga la pulsación para copiarlo en el portapapeles.

2. Pulse sobre el número de teléfono y mantenga la pulsación para copiarlo en el portapapeles.

3. Pulse sobre la dirección de correo para empezar a escribir un nuevo correo electrónico en la aplicación Mail.

4. Pulse a la derecha de Notas para añadir más información sin pasar al modo edición.

5. Pulse en **Editar** para pasar al modo edición, que le ofrece las mismas funcionalidades básicas que al introducir un nuevo contacto.

6. Pulse en **Compartir contacto** para empezar un nuevo mensaje de correo electrónico con una versión vcard del contacto.

7. Este es el espacio para la imagen. Para añadir una imagen, pase a modo edición pulsando el botón **Editar** de la parte inferior de la página y, luego, pulse en este espacio.

8. Pulse sobre **FaceTime** para iniciar una llamada de vídeo (véase el capítulo 10).

9. Pulse en **Añadir a Favoritos** para añadirlo a su lista de favoritos de FaceTime.

10. Pulse en **Enviar mensaje** para enviar un mensaje de texto a este contacto. Encontrará más información sobre los mensajes de texto en el capítulo 8.

CREAR UN EVENTO DE CALENDARIO

Ahora que ya tiene varias personas en su aplicación Contactos, llega el momento de hacer planes con ellos. Vamos a echarle un vistazo a la aplicación Calendario.

1. Pulse en el icono **Calendario** de la pantalla de inicio.

2. Pulse en el botón + de la parte inferior derecha.

3. Introduzca el título del evento.

4. Introduzca el lugar del evento. .

5. Pulse en el área Empieza/Termina para mostrar los controles de fecha.

6. Haga girar las ruedas de los días, las horas, los minutos y a.m./p.m. para definir la hora de comienzo del evento.

7. Pulse sobre Termina.

8. Haga girar las ruedas de los días, las horas, los minutos y a.m./p.m. para definir la hora de finalización del evento.

9. Si el evento durará todo el día, pulse sobre el interruptor Día entero para activarlo.

10. Pulse en **OK** cuando haya acabado de introducir la hora del evento.

11. Pulse en Repetir para seleccionar el ciclo de repetición del evento. .

12. Pulse sobre la frecuencia del evento o deje el valor Nunca si sólo va a tener lugar una vez.

13. Pulse en **OK** para volver la pantalla principal del menú.

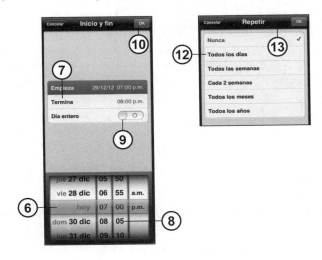

14. Si el sistema de su calendario lo permite, pulse sobre Invitados para enviar por correo electrónico una invitación para este evento a otra persona.

15. Pulse en Alerta para introducir una hora para la alerta del evento.

16. Seleccione con qué antelación desea que suene la alerta del evento.

17. Pulse en **OK** para regresar a la pantalla principal del evento.

18. Si tiene más de un calendario, puede colocar este evento en el adecuado.

19. Si el sistema de su calendario lo permite, puede definir su disponibilidad para el evento como Ocupado o Libre.

20. Puede introducir la URL del evento para poder acceder rápidamente al sitio Web cuando se muestre el evento.

21. Pulse en el campo Notas y escriba cualquier información adicional sobre el evento.

22. Pulse en **OK** para completar el evento.

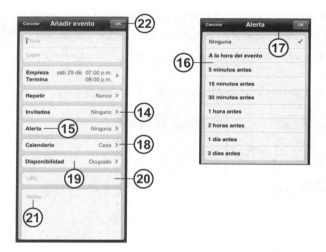

Siri: Crear eventos

Puede utilizar Siri para crear nuevos eventos cuando la aplicación Calendario no esté en pantalla.

"Programar una cita con el médico para las 3 del miércoles".

"Concertar una cita con Juan para mañana al mediodía".

"Cancela mi cita con el dentista".

CÓMO UTILIZAR LAS VISTAS DE CALENDARIO

Hay cuatro maneras diferentes de visualizar el calendario: Día, Semana, Mes y Lista. Vamos a echarle un vistazo a cada una de ellas.

Vista Día

La vista diaria se divide en dos mitades: una lista de los eventos programados para el día y un área de desplazamiento con un bloque para cada media hora.

Puede pulsar sobre el área derecha y arrastrarla para moverse arriba y abajo en el día. Sobre esta área hay un espacio para los eventos que ocurren durante todo el día, si los hubiere.

El calendario del mes de la parte superior derecha le permite saltar a otro día de su agenda pulsando sobre la fecha. También puede escoger una fecha pulsando sobre la barra de la parte inferior de la pantalla y deslizándola, o saltando al mes anterior o posterior pulsando en la abreviatura del nombre del mes.

Para avanzar día a día en el calendario, pulse en las flechas de la parte inferior de la pantalla. El botón **Hoy** le lleva a la agenda del día actual.

Puede pulsar en un evento en cualquier lado de la página para ver sus detalles y modificarlos.

Vista Semana

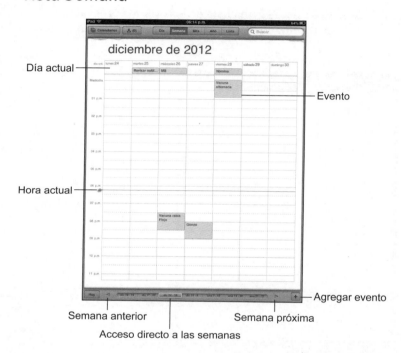

Día actual

Evento

Hora actual

Agregar evento

Semana anterior

Semana próxima

Acceso directo a las semanas

La vista semanal es una cuadrícula que muestra desde el domingo hasta el sábado de la semana actual. La cuadrícula muestra todos los eventos sobre los que puede pulsar para ver su título, lugar y hora.

El punto rojo y la línea indican la hora actual y, en la parte superior de la pantalla, se muestra el nombre del día actual en azul. Utilice la línea de la parte inferior para navegar a las semanas anterior o próxima.

Vista Mes

La vista mensual muestra una larga lista de eventos. También es una cuadrícula pero con la vista mensual tradicional, con los días de los meses anterior y posterior rellenando los bloques sobrantes.

Cada bloque lista los eventos programados para ese día. Puede pulsar en cualquiera de ellos para obtener más información o para modificarlo.

La línea de la parte inferior de la pantalla muestra ahora los meses del año e incluye en la lista el año anterior y el siguiente para que pueda saltar de año en año.

Día actual

Evento

Agregar evento

Año anterior

Año siguiente

Acceso directo a los meses

Siri: Consulta mi agenda

Puede utilizar Siri para consultar cuáles son sus próximos eventos.

"¿Qué tengo que hacer mañana?".

"¿Cuál es mi calendario esta semana?".

"¿Cuándo es mi cita con el dentista?".

Vista Lista

La vista de lista ofrece una combinación interesante. A la izquierda, puede ver una lista de todos sus eventos, no sólo los del día actual. Puede desplazarla más si lo desea para ver lo que viene a continuación.

A la derecha, hay una línea temporal como la de la vista diaria pero en vez de un mes completo muestra la información del evento seleccionado.

Información del evento seleccionado

Lista de eventos

diciembre de 2012

Gonzo
jueves, 27 de diciembre de 2012

Lista del día

Evento seleccionado

Saltar a los eventos de hoy

Día anterior

Saltar al mes anterior

Acceso directo a los días

Agregar evento

Día siguiente

Saltar al mes siguiente

Vista Año

Se habrá percatado de que también existe un botón Año en la parte superior de la pantalla. Esta vista le muestra doce pequeños calendarios mensuales donde se marcan con colores los días en los que tiene eventos. Puede utilizar esta vista para navegar rápidamente a un evento de una semana o mes diferente. O bien, puede utilizarla para ver en qué día de la semana cae un día concreto.

CREAR NOTAS

Otra de las aplicaciones para organizarse que vienen con su iPad es la aplicación Notas. Aunque es mucho más genérica que una aplicación de contactos o una agenda, puede serle útil para tomar notas rápidas o crear listas de tareas pendientes.

1. Pulse en el icono **Notas** de su pantalla de inicio.

2. Notas abrirá la última nota con la que haya estado trabajando. Para escribir, pulse en la pantalla en la que desee insertar texto, y aparecerá un teclado.

3. Para empezar una nota nueva, pulse en el botón + de la parte superior derecha.

4. Para ver una lista de todas sus notas y pasar a otra nota, pulse en el botón **Notas**.

5. Pulse en el nombre de la nota a la que desea cambiar.

6. Pulse y escriba en el campo de búsqueda para localizar textos dentro de las notas.

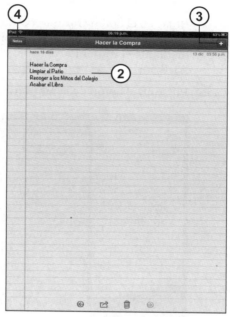

¿De dónde procede el nombre?

El nombre de archivo de una nota es simplemente la primera línea de la nota, por lo que es bueno que se acostumbre a poner como título de la nota la primera línea de texto. Así la encontrará mejor posteriormente.

Notas no es un procesador de textos

No utilice Notas para ningún escrito serio. Carece de estilos de fuente y de opciones de formato. Ni siquiera se puede cambiar la fuente para hacerla más grande. Si necesita utilizar su iPad para escribir, piense en una aplicación de procesamiento de textos como Pages u otra similar.

7. Ponga su iPad de lado. El botón **Notas** se sustituirá por una lista permanente de notas en el lado izquierdo.

8. Pulse en los botones de las flechas de la parte inferior de la pantalla para desplazarse por las notas.

9. Pulse en el botón **Compartir** de la parte inferior de la pantalla para iniciar un nuevo mensaje de correo electrónico en la aplicación Mail mediante el contenido de la nota o para imprimir la nota utilizando AirPrint.

10. Pulse en el botón de la papelera de la parte inferior para eliminar notas.

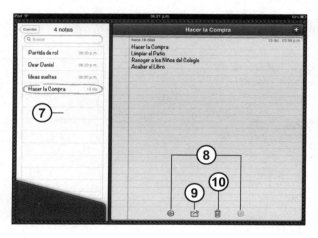

CREAR RECORDATORIOS

Recordatorios es una aplicación que permite crear listas de tareas pendientes y que está disponible para iPad, iPod touch, iPhone y los Mac que utilicen OS X 10.8 Mountain Lion. Son listas pensadas para ser modificadas sobre la marcha, que contienen las tareas que tiene por hacer o las cosas que necesita recordar. Estos recordatorios pueden ser similares a eventos de calendario, con fechas y alarmas, o bien pueden ser elementos sencillos de una lista no asociados a una hora concreta.

1. Pulse en el icono Recordatorios de su pantalla de inicio.

Notas y cuentas de correo

Lo que ocurre con las notas después de crearlas puede resultar confuso. Las notas suelen estar asociadas a cuentas de correo, como ocurre con los emails. Por tanto, cuando cree una nota nueva, puede que aparezca en su bandeja de entrada como si fuera un mensaje nuevo. Por lo general se puede decidir qué aparece en una bandeja de entrada de una cuenta de correo electrónico, y habrá veces en las que pueda especificar que no quiere ver notas allí. Todo depende de su proveedor de correo electrónico.

2. Seleccione la lista a la que desea añadir un nuevo recordatorio.

3. Pulse en el botón + para crear un nuevo recordatorio.

4. Pulse en el nuevo recordatorio.

5. Pulse en el recordatorio y cierre el teclado cuando termine.

Siri: Recuérdame

Puede crear nuevos recordatorios como estos utilizando Siri:

"Recuérdame que vea al médico esta noche a las 8".

"Recuérdame que compre leche cuando salga del trabajo".

"Recuérdame que compruebe el stock todos los días a las 9".

6. Pulse en el nuevo recordatorio para mostrar el cuadro de diálogo Detalles.

7. Pulse aquí para editar el recordatorio.

8. También puede especificar la hora de la alarma del recordatorio.

9. Pulse en Mostrar más para incluir en el recordatorio una fecha de vencimiento, su prioridad y alguna nota.

10. Pulse en **Eliminar** para borrar el recordatorio.

11. Pulse fuera del cuadro Detalles cuando haya terminado de editar el recordatorio.

12. Pulse en el cuadro que hay junto al recordatorio cuando haya completado la tarea. Se quedará en la lista durante un tiempo.

13. Pulse en Crear nueva lista para añadir una nueva lista de recordatorios.

14. Pulse en Completado para ver los recordatorios completados.

15. También puede buscar recordatorios por su título o su contenido.

16. El minicalendario le permite buscar los recordatorios por fecha.

17. Puede pulsar en **Editar** para eliminar listas de recordatorios.

18. Haga un barrido de izquierda a derecha sobre un recordatorio para eliminarlo.

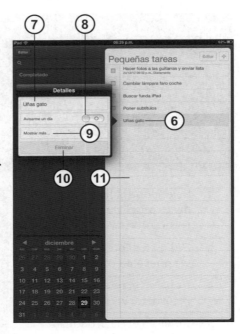

Recordatorios se sincroniza utilizando el servicio iCloud de Apple. Gracias a esto, se hace una copia de la información que debería aparecer en la aplicación Recordatorios de su Mac si utiliza OS X 10.8 Mountain Lion. Y si utiliza un iPhone, también debería verla en él.

CREAR ALARMAS CON LA APLICACIÓN RELOJ

La aplicación Reloj es una de las novedades de iOS 6 para iPad, y se puede utilizar para crear alarmas. La ventaja de utilizar una alarma en vez de un recordatorio es que de este modo evitará recargar su lista de recordatorios o su calendario, sobre todo en el caso de alarmas recurrentes, como su despertador matinal o el recordatorio para recoger al niño del colegio.

1. Pulse en la aplicación **Reloj**.
2. La pantalla de inicio le muestra hasta en seis relojes las zonas horarias que desee. Pulse sobre un reloj para hacer que ocupe toda la pantalla.
3. Pulse en un reloj vacío para añadir una ciudad nueva.
4. Pulse en **Editar** para ordenar o eliminar los relojes.
5. Pulse en **Alarma** para visualizar y modificar alarmas.

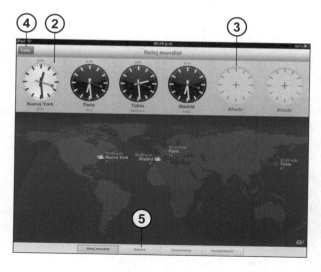

6. Para añadir una nueva alarma, pulse en el botón +.

7. Seleccione los días de la semana de la alarma.

8. Escoja un sonido para la alarma. Puede elegir un sonido personalizado o un tono de llamada de su colección.

9. Deje Posponer activado si quiere disponer de la opción de echar una cabezada cuando la alarma deje de sonar.

10. Puede asignarle un nombre personalizado a la alarma.

11. Seleccione la hora de la alarma.

12. Pulse en **Guardar** para guardar toda su configuración y agregar la alarma.

13. Ahora la alarma aparecerá en el calendario especial del Reloj.

14. Puede desactivar la alarma pero dejarla en el calendario para utilizarla más adelante.

15. Puede elegir una alarma para modificarla o eliminarla.

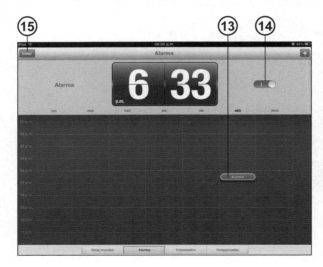

16. Cuando llegue el momento, sonará la alarma y se mostrará un mensaje. Si su iPad está en reposo, se activará.

17. Si ha activado Posponer, al pulsar aquí silenciará la alarma, que volverá a sonar en 9 minutos.

18. Para silenciar la alarma con normalidad, suponiendo que haya sonado cuando el iPad estaba en reposo y bloqueado, deberá hacer un barrido sobre el interruptor de bloqueo. Si el iPad estaba activo cuando saltó la alarma, sólo tendrá que pulsar un botón.

Crea alarmas

Puede utilizar Siri para crear y borrar alarmas. Pruebe con estas frases:

"Crea una alarma para los miércoles a las 9".

"Crea una alarma para mañana a las 10 de la mañana".

"Cancela mi alarma de las 9".

"Desactiva mi alarma de las 10".

"Activa mi alarma de las 10".

Objetivos:

En este capítulo conocerá Safari, el navegador que viene con su iPad. Puede utilizarlo para navegar por la Web, marcar páginas como favoritas, rellenar formularios y buscar en Internet.

Navegar a una URL.

Buscar en Internet.

Visualizar páginas Web.

Regresar a los sitios Web ya visitados.

Marcar sitios como favoritos.

Borrar favoritos.

Crear favoritos en la pantalla de inicio.

Crear una lista de lectura.

Rellenar formularios Web.

Abrir varias páginas Web.

Copiar textos e imágenes de las páginas Web.

Utilizar imágenes de páginas Web.

Visualizar artículos de noticias con el Lector de Safari.

7. Navegar por Internet

El iPad es un magnífico dispositivo para navegar por Internet. Su tamaño es perfecto para las páginas Web y la posibilidad de tocar la pantalla le permite interactuar con el contenido de un modo que resultaría imposible en un ordenador clásico.

Si ya ha estado utilizando el iPhone o el iPod touch para navegar por la Web, lo primero que observará es que ya no tiene que pellizcar y rotar para leer el texto o ver los enlaces. El tamaño de la pantalla es mucho más apropiado para las páginas Web que el de los teléfonos móviles.

NAVEGAR A UNA URL

Estoy seguro de que sabe cómo acceder a páginas Web utilizando un navegador. En el iPad, Safari se utiliza del mismo modo si bien la interfaz es ligeramente diferente.

En la parte superior del navegador hay una barra de herramientas con algunos botones. En el centro, el mayor elemento de la interfaz es el campo dirección, en el que puede escribir la dirección de cualquier página Web de Internet.

1. Toque el icono **Safari** de su iPad para abrir el navegador. Posiblemente, lo encontrará en la parte inferior de la pantalla junto con el resto de las aplicaciones que más utilice.

2. Pulse en el campo de la dirección, en la parte superior de la pantalla. Esto hará que se muestre el teclado en la parte inferior. Si ya está viendo una página Web, el campo mostrará la dirección de la página. Si no, estará vacío.

3. Empiece a escribir una URL del tipo `apple.com` o `macmost.com`.

4. Conforme vaya escribiendo, se irán mostrando las sugerencias en base a las páginas que haya visitado anteriormente. Para acceder directamente a una de estas páginas, pulse en la dirección de la página en la lista.

5. Pulse en el botón **Ir** del teclado cuando haya acabado de escribir.

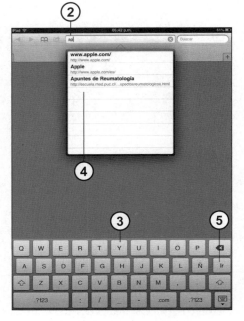

Borrar la pizarra

Para limpiar el campo en cualquier momento, pulse en el botón **X** que hay dentro de éste, en el lado derecho.

Consejos para escribir una URL

▶ Una URL (*Universal Resource Locator*, Localizador de recursos uniforme) puede ser el nombre de una página Web o una página específica de un sitio Web.

▶ En la mayoría de los sitios Web, no hace falta escribir las "www." del comienzo. Por ejemplo, puede escribir `www.apple.com` o `apple.com`, pues ambas le llevarán a la página de inicio de Apple. Nunca necesitará incluir el "http://" aunque habrá ocasiones en las que sí tenga que escribir "https://" para especificar que quiere acceder a una página Web segura.

▶ En lugar de escribir ".com", puede pulsar la tecla .com del teclado del iPad. Si mantiene la pulsación, podrá escoger entre los dominios `.net`, `.edu`, `.es`, `.org` y `.eu`.

Nada en especial, gracias

Algunos sitios Web incluyen una versión diseñada especialmente para iPad. Esto no es tan habitual como las versiones que ofrecen algunos sitios para iPhone o iPod touch. Si un sitio Web no tiene el mismo aspecto en su iPad que en su ordenador, pruebe a buscar si la página incluye alguna opción para cambiar al diseño estándar de la Web para no visualizar la versión especial para iPad. Esto es especialmente útil si el sitio ha incluido al iPad en la versión simplificada para iPhone.

BUSCAR EN INTERNET

La Web no sería útil si ya supiera acceder a cada página por su ubicación exacta. El navegador Web Safari del iPad lleva incorporada una funcionalidad de búsqueda en el campo que hay en la parte superior derecha de la pantalla.

Conforme escriba, Safari le sugerirá términos de búsqueda en base a las búsquedas que otras personas hayan realizado anteriormente y que empiecen por los mismos caracteres. Esta lista, que va cambiando según escribe, puede ahorrarle mucho tiempo e incluso ayudarle a definir mejor lo que está buscando.

1. Abra Safari y pulse en el campo de búsqueda de la parte superior derecha. Se expandirá, reduciendo el campo de búsqueda para disponer de más espacio. En la parte inferior aparecerá el teclado.

2. Empiece a escribir el término de búsqueda.

3. Según vaya escribiendo, aparecerá una lista emergente con sugerencias. Puede dejar de escribir en cualquier momento y pulsar en una de estas sugerencias para seleccionarla e iniciar la búsqueda.

4. Pulse en el botón **X** que hay a la derecha del campo de búsqueda en cualquier momento para limpiar el campo. Si ya ha realizado alguna búsqueda con anterioridad, puede que ésta se encuentre aún en el campo. Puede utilizar este botón para borrar este texto.

5. Pulse en el botón **Buscar** del teclado para finalizar la introducción de texto e iniciar la búsqueda.

6. El resultado se mostrará en la típica página de resultados de búsqueda de Google, dado que tiene configurado Google como su motor de búsqueda. Pulse en cualquier enlace para acceder a la página o utilice los enlaces de la parte inferior de la pantalla para ver más resultados.

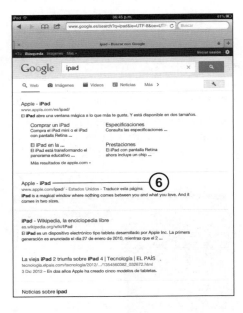

Buscar en la página

Debajo de las Sugerencias de Google de la lista emergente, suele aparecer una lista de las búsquedas recientes y el número de veces que aparece la expresión en la página que está visualizando. Utilice ésta último para buscar la expresión en la página.

Consejos para buscar en Internet

Puede hacer algo más que limitarse a escribir palabras. Por ejemplo, puede colocar un + delante de una palabra para que sea obligatoria o un - para evitar esa palabra en los resultados.

Puede utilizar términos de búsqueda especiales para buscar cosas como horarios de películas, horarios de vuelos, el tiempo y mucho más. En `http://www.google.com/insidesearch/tipstricks/index.html` encontrará todas las cosas que puede hacer buscando en Google.

Puede utilizar la aplicación Ajustes de su iPad para seleccionar el motor de búsqueda que utilizará Safari por defecto. Pulse en el icono **Ajustes**, elija Safari en el lado izquierdo y, luego, busque la opción Buscador. Podría escoger Bing o Yahoo! en lugar de Google, por ejemplo.

Utilizando Google, puede buscar muchas más cosas en las páginas Web aparte de textos. Si observa la parte superior de los resultados de búsqueda, verá enlaces como Imágenes, Vídeos, Maps, Noticias y Shopping. Pulse en Más para buscar cosas como Blogs o Libros.

Para explorar los resultados de búsqueda sin salir de la página de resultados, pulse sobre un enlace y mantenga pulsado hasta que se muestre un botón que le permita abrir un enlace en una nueva página dejando abierta la página de resultados.

Puede configurar muchos detalles de las búsquedas con Google. No son específicas del iPad pero funcionarán igual en su ordenador cuando realice las búsquedas. Pulse en el icono de la rueda de la esquina superior derecha de la página de resultados y, dentro del menú, elija Configuración de búsqueda para escoger el idioma, los filtros y otras opciones. Configure una cuenta de Google (igual que una cuenta de Gmail) y acceda para guardar estas preferencias y utilizarlas en todos sus dispositivos.

VISUALIZAR PÁGINAS WEB

Tanto si ha escrito una URL como si ha buscado una página Web, cuando ya la tenga abierta en la pantalla de su iPad, dispondrá de varias maneras para controlar lo que se ve. Necesita conocer estas técnicas para ver los contenidos completos de las páginas Web y poder navegar entre ellas.

Siri: Busca en Internet

Puede utilizar Siri para buscar en Internet aunque no se encuentre en la pantalla de Safari. En algunas ocasiones, Siri también le responderá a preguntas genéricas sugiriéndole buscar en la Web:

"Busca en Internet tutoriales para el iPad".

"Busca fontaneros locales".

"Busca microsiervos.com".

"Busca París en la Wikipedia".

"Enséñame algunas páginas de geología".

"Busca en Google noticias de Algete".

"Busca tutoriales para el iPad en Apple.com".

1. Navegue a cualquier página Web utilizando cualquiera de las dos técnicas de las instrucciones por pasos que acabamos de ver.

2. Cuando esté visualizando una página, puede tocar sobre ésta y arrastrar con el dedo. Al hacerlo, fíjese en la barra del lado derecho que le indica qué proporción de la página completa está viendo en cada momento.

3. Para hacer zoom en un área de la página, toque la pantalla con dos dedos y sepárelos, como si pellizcara a la inversa. También puede juntarlos, pellizcando, para alejar la imagen. Una pulsación doble devuelve la página a su escala original. Esto funciona bien en los sitios Web creados para ordenadores de escritorio pero los sitios para móviles suelen estar ya preparados para ajustarse a las medidas de la pantalla con una resolución óptima.

4. También puede hacer una pulsación doble sobre las imágenes y los párrafos de texto para hacer zoom sobre estos elementos de la página. Para deshacer el zoom, vuelva a hacer una pulsación doble.

¡Deslícelo!

Si, al arrastrar, levanta su dedo de la pantalla con la intención de detener el desplazamiento, verá que la pantalla sigue desplazándose pero lo hará cada vez más lentamente y enseguida dejará de moverse.

¿Dónde está el enlace?

Lamentablemente, no siempre resulta fácil averiguar qué palabras de una página son enlaces. Hace años, todos los enlaces eran azules y estaban subrayados pero, en la actualidad, pueden ir en cualquier color y sin subrayar.

En el iPad es incluso aún más difícil saber qué palabras son enlaces. Hay muchas páginas Web que resaltan los enlaces cuando el cursor pasa sobre la palabra pero la interfaz táctil del iPad no tiene cursor.

5. Al hacer zoom, también puede tocar sobre las distintas partes de la página y arrastrarlas a izquierda a derecha para verlas mejor. Al hacerlo, verá que en la parte inferior de la página aparece una barra, similar a la barra del lado derecho del paso 2.

6. Para moverse a otra página Web desde un enlace de la página Web actual, sólo tiene que pulsar en el enlace. Los enlaces suelen ser un texto breve subrayado o coloreado aunque también pueden aparecer en forma de imágenes o botones.

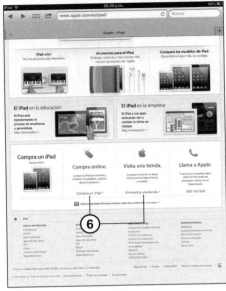

REGRESAR A LOS SITIOS WEB YA VISITADOS

Volver a la última página visitada es fácil. Sólo tiene que pulsar el botón **Anterior**, el triángulo que apunta hacia la izquierda de la esquina superior izquierda de la pantalla de Safari. Puede seguir pulsando el botón **Anterior** para acceder a las páginas que haya visitado anteriormente.

Del mismo modo, puede pulsar el botón que hay junto a éste, el botón **Siguiente**, para cambiar de sentido y avanzar regresando a las páginas que ha visitado más recientemente. Para ver las páginas anteriores con más precisión, puede utilizar el botón **Historial**.

Historial/Favoritos

Safari trata el historial y los favoritos del mismo modo. Ambos no son más que listas de páginas. Piense en su historial como en una lista de favoritos o marcadores de cada sitio que haya visitado recientemente.

1. Después de haber utilizado Safari para ver varias páginas, pulse el botón **Favoritos/Historial** de la parte superior de la pantalla.

2. Pulse en el botón **Historial** para ver su historial en vez de su lista de favoritos o su lista de lectura. Aparecerá la lista de páginas que ha visitado.

3. Pulse en cualquier elemento de la lista para saltar a esa página Web.

4. Si ha visitado muchos sitios hoy, en la parte inferior aparecerá la opción Hoy (antes) y, debajo de ésta, pueden aparecer también las fechas de los días anteriores. Pulse para pasar al historial de esa fecha.

5. Cuando esté dentro del historial de una fecha específica, puede pulsar y arrastrar las listas más largas para desplazarlas o bien pulsar en un elemento para saltar a esa página.

6. Puede regresar desde una fecha específica al menú principal del historial pulsando en el botón **Historial** de la parte superior izquierda del menú desplegable.

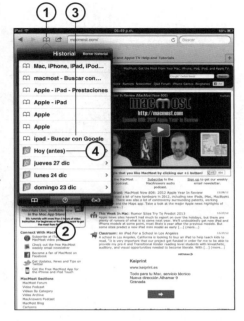

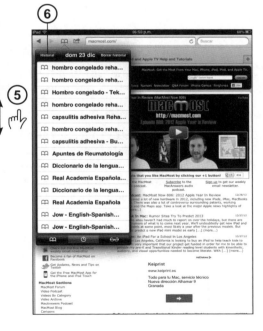

MARCAR SITIOS COMO FAVORITOS

Si utiliza Safari en el iPad, necesitará marcar como favoritos algunos de los sitios que utilice con más frecuencia. Esto le puede proporcionar un acceso rápido a la información que más necesita.

1. Utilice Safari para navegar a cualquier página Web.

2. Pulse en el botón **Compartir** de la parte superior de la pantalla.

3. Seleccione **Favorito**.

4. Modifique el título del marcador. El título oficial de la página Web se rellena automáticamente pero puede cambiarlo utilizando el teclado. Pulse sobre la **X** para limpiar el texto y escribirlo.

Imprímalo

También se habrá fijado en el botón **Imprimir** que aparece cuando pulsa el botón para añadir favoritos. Si utiliza una impresora que sea compatible con la tecnología AirPlay de Apple de su iPad, puede enviar la página actual a una impresora conectada a su red. Hablaremos sobre cómo imprimir con el iPad en el capítulo 18.

5. Pulse sobre el nombre de la carpeta Favoritos para seleccionar una carpeta en la que colocar el marcador.

Consejos para marcar sitios Web como favoritos

▶ Puede guardar sus favoritos en una carpeta llamada Barra de favoritos, que se muestra en forma de botones en la parte superior de la ventana de Safari para que siempre estén visibles. Guarde allí sólo los marcadores más importantes.

▶ Los títulos de las páginas Web son muchas veces largos y descriptivos. Es aconsejable acortar el título y cambiarlo por uno más fácil de reconocer, sobre todo en las páginas que visite con frecuencia. Por otra parte, al usar nombres más cortos, también ocupará menos espacio en la barra de favoritos.

▶ Puede crear más carpetas dentro de su Barra de favoritos. Cuando pulse sobre ellas, se mostrarán dentro de su propio menú emergente proporcionándole un acceso directo a un subconjunto de sus favoritos.

Listas de lectura

También puede guardar marcadores en una lista de lectura especial, utilizando el botón **Añadir a lista de lectura**. Es un buen modo de guardar temporalmente un marcador de una página a la que desea volver una vez más. Funciona igual que Favoritos, y se accede a ella desde el mismo sitio si bien es una simple lista de páginas, sin subcarpetas. También puede escoger entre ver Todo lo que hay en la lista o sólo los elementos No leídos. Por tanto, las páginas visitadas por segunda vez desde la lista de lectura no volverán a aparecer como no leídas.

BORRAR FAVORITOS

Agregar y utilizar favoritos es sólo el comienzo. Con el tiempo necesitará borrar los que no utilice; es probable que descubra que ya no los necesita, incluso que algunos apunten a páginas que ya no existen. Hay dos modos de borrar un favorito. Aunque el resultado de ambos es el mismo, puede que el segundo método le proporcione algo más de control.

Borrar un sólo favorito

El primer método utiliza la lista de Favoritos para localizar y borrar un sólo marcador.

1. Pulse en el botón **Favoritos/Historial** de la parte superior de la pantalla de Safari.

2. Pulse sobre **Favoritos**.

3. Haga un barrido con el dedo sobre un marcador, de izquierda a derecha. Esto mostrará un botón **Eliminar** rojo.

4. Pulse en el botón **Eliminar** para eliminar el marcador, que se borrará al instante.

Otro modo de borrar favoritos

Este método para borrar favoritos le permite desbloquear y borrar marcadores desde la lista de Favoritos.

1. Pulse el botón **Favoritos/Historial** de la parte superior de la pantalla de Safari.

2. Pulse en **Favoritos**.

3. Pulse en el botón **Editar** de la esquina superior derecha (se convertirá en el botón **OK**). Ahora cada marcador mostrará a su izquierda un círculo rojo con una línea.

4. Pulse en uno de los círculos rojos para desbloquearlo. A la derecha, aparecerá un botón **Eliminar**.

5. Pulse sobre el botón **Eliminar** para eliminar el marcador.

CREAR FAVORITOS EN LA PANTALLA DE INICIO

Si una página Web es más o menos importante, quizá desee marcarla como favorita. Si es enormemente importante, quizá desee ponerla directamente en su barra de favoritos para poder acceder a ella fácilmente.

Sin embargo, si una página Web le parece aún más importante que todo eso, puede guardarla como icono en la pantalla de inicio de su iPad.

1. Acceda a una página Web con Safari.

2. Pulse en el botón en forma de flecha que sale de una caja, en la parte superior de la pantalla.

3. Escoja **Añadir a pantalla inicio**. Tenga en cuenta que el icono que se ve en la figura cambiará dependiendo del que utilice el sitio Web, pudiendo mostrar incluso una pequeña captura del sitio.

4. Ahora puede editar el nombre de la página. La mayoría de los títulos de página son demasiado largos para mostrarse bajo un icono de la pantalla de inicio del iPad; modifíquelos para que sean lo más cortos posible.

5. Puede pulsar en **Cancelar** para salir de la interfaz sin enviar el marcador a la pantalla de inicio.

6. Pulse en **Añadir** para acabar de agregar el icono a la pantalla de inicio.

Iconos del sitio Web

El icono de este tipo de marcador puede proceder de dos fuentes. El dueño de la página Web puede proporcionar un icono especial para iPhone o iPad para utilizarlo cuando alguien intente marcar su página como favorita.

No obstante, si no se proporciona ningún icono, su iPad puede hacer una captura de pantalla de la página Web y reducirla para convertirla en icono.

CREAR UNA LISTA DE LECTURA

Las listas de lecturas son similares a los marcadores. Puede agregar una página a su lista de lectura para acordarse de volver a ésta más adelante. Cuando lo haga, se eliminará de la sección No leídos de su lista de lectura aunque seguirá apareciendo en la sección Todo.

Además, las páginas que agregue a su lista de lectura se descargarán en su iPad para que pueda leerlas cuando no esté conectado a Internet.

1. Busque un artículo que desee leer más adelante.

2. Pulse en el botón **Compartir**.

3. Pulse en **Añadir a lista de lectura**.

4. Para ver su lista de lectura, pulse en el botón **Favoritos/Historial**.

5. Pulse en el botón **Lista de lectura**.

6. Puede pulsar aquí para ver una lista de las páginas que ha agregado a su lista de lectura pero que no ha visto aún.

7. Después de haber visto una página, se eliminará de la sección No leídos pero la seguirá encontrando en la sección Todo. Pulse en Todo para ver dicha lista. Para eliminar del todo un artículo, haga un barrido con el dedo de derecha a izquierda y pulse en **Eliminar**.

8. Pulse sobre el elemento para ver el artículo.

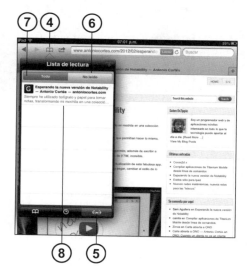

RELLENAR FORMULARIOS WEB

La Web no es una calle de sentido único. Con frecuencia, hay que interactuar con las páginas web rellenando formularios o campos de texto. El método para hacer esto en el iPad es similar al de un ordenador pero con algunas diferencias destacables.

El teclado comparte el espacio de la pantalla con la página Web de manera que, cuando pulsa en un campo, aparece el teclado en la parte inferior de la pantalla.

Los menús desplegables también se comportan de un modo diferente. En el iPad se muestra un menú especial con todas las opciones.

1. Utilice Safari para navegar hasta una página Web con un formulario. Para hacer una prueba, puede utilizar una de las de `http://apple.com/feedback/`.

2. Para escribir en un campo de texto, pulse sobre él.

3. En la parte inferior de la pantalla, aparecerá el teclado. Utilícelo para escribir textos en el campo.

4. Pulse en la tecla **Ir** cuando haya terminado.

5. Para seleccionar una casilla de verificación o un botón de opción, púlselo como haría en su ordenador con el ratón.

6. Para seleccionar un elemento de un menú desplegable, pulse sobre el menú.

7. El menú desplegable especial del iPad reacciona como cualquier otra interfaz del dispositivo. Para seleccionar un elemento, pulse sobre él. Puede pulsar y arrastrar la lista arriba y abajo para ver más opciones si la lista es larga.

8. Junto al elemento seleccionado actualmente se mostrará una marca de verificación. Pulse en ese elemento o en cualquier otro para seleccionarlo y cerrar el menú.

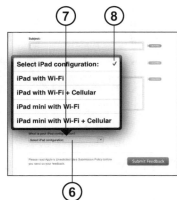

Menús especiales

Puede que algunos sitios Web utilicen menús especiales creados ex profeso, en vez de los menús por defecto de HTML. Cuando éste sea el caso, el menú tiene exactamente el mismo aspecto que cuando se accede a la página web desde un ordenador. Si la página Web está bien programada, podría funcionar bien en el iPad aunque resulta algo más complicado hacer una selección.

Consejos para rellenar formularios

▶ Puede utilizar el botón **Autorrelleno** justo sobre el teclado para rellenar su nombre, dirección y otros datos de contacto en vez de escribirlos con el teclado. Para activar esta opción, acceda a los **Ajustes** de su iPad y busque las preferencias de Autorrelleno dentro de Safari. Asegúrese también de que la información de su ficha de la aplicación Contactos es la correcta y está completa.

▶ Para moverse entre los campos de un formulario, utilice los botones **Anterior** y **Siguiente** que hay justo sobre el teclado. Puede rellenar todo un formulario de este modo sin tener que tocar sobre la página Web para seleccionar el siguiente elemento.

ABRIR VARIAS PÁGINAS WEB

El Safari de su iPad le permite abrir varias páginas web a la vez. Aunque sólo puede visualizarlas de una en una, puede ir cargando el resto de páginas mientras lee algo en una de ellas.

Antes, en el iPad, se utilizaba un complejo sistema de páginas para hacer esto pero, en la versión 5 de iOS, se puede navegar empleando fichas igual que se hace en los navegadores de los PC y Mac.

1. Cuando esté navegando por Internet con el Safari de su iPad, pulse en el botón + del lado derecho de la parte superior de la pantalla.

2. Ahora verá dos fichas en la parte superior. La de la derecha está delante de la izquierda y tiene el rótulo Sin título, puesto que no se ha cargado ninguna página todavía, como puede observar.

3. Puede regresar a la ficha anterior pulsando sobre ésta.

4. Puede introducir una dirección Web para cargar una página en esta ficha. Otra posibilidad sería introducir un término de búsqueda o acceder a sus favoritos para navegar hasta una página web.

5. Puede cerrar la ficha actual pulsando en el botón **X** que hay a la derecha del nombre de la ficha.

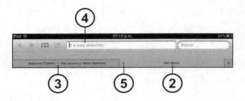

Las fichas de iCloud

Si tiene iCloud configurado en varios dispositivos con iOS 6 y/o Macs con Mountain Lion, puede que vea un icono de una nube en la barra de herramientas de Safari, junto al botón **Compartir**. Pulse en éste para ver las fichas que están abiertas actualmente en estos otros dispositivos. Puede seleccionar un elemento para abrir esa página. De este modo, puede navegar en su Mac durante un rato, y luego pasarse al iPad y encontrar con facilidad las páginas como si siguiera en su Mac.

Consejos para utilizar varias páginas Web

▶ Otro modo de abrir una segunda página es pulsar sobre un enlace y mantener pulsado. Aparecerá un menú emergente con la opción de abrir en enlace en una nueva ficha.

▶ Aparte de los favoritos, otra opción para acceder a la misma página Web una y otra vez es utilizar varias páginas. Basta con abrir una nueva ficha en lugar de navegar a otro sitio desde la página actual. De este modo, sólo tendrá que pasar de una ficha a otra para volver a consultar la página original.

COPIAR TEXTOS E IMÁGENES DE LAS PÁGINAS WEB

Puede seleccionar textos de las páginas Web y pegarlos en sus propios documentos o mensajes de correo electrónico.

1. Utilice Safari para navegar a una página web.

2. Pulse sobre un fragmento de texto y mantenga pulsado. No hace falta mucha precisión porque podrá ajustar la selección más adelante. Sobre el área seleccionada y resaltada en color azul claro aparecerá la palabra Copiar.

3. Puede pulsar y arrastrar uno de los cuatro puntos azules para cambiar el área de selección. Cuando su selección sea lo bastante pequeña, los cuatro puntos pasarán a ser dos puntos que indican el primer y el último carácter de la selección.

4. Pulse fuera de la selección para cancelar en cualquier momento.

5. Pulse en el botón **Copiar** que hay sobre la selección para copiar el texto.

6. Ahora puede acceder a otra aplicación como Mail o Pages y pulsar en un área de texto para pegar el texto en el área. También puede hacer esto en Safari en un formulario de una página, como los formularios Web que envían correos electrónicos.

UTILIZAR IMÁGENES DE PÁGINAS WEB

Además de copiar y pegar textos desde Safari, puede copiar imágenes y guardarlas en su colección de fotos.

1. Utilice Safari para navegar a una página Web que tenga una imagen que desee guardar.

2. Pulse en la imagen y mantenga la pulsación sobre ella.

3. Seleccione Guardar imagen. Esto guardará la imagen en su carpeta Carrete de la aplicación Fotos, de modo que podrá utilizar esta imagen en cualquier aplicación en la que seleccione imágenes de sus álbumes de fotos.

4. Escoja Copiar para copiar la imagen en el portapapeles. Después, puede acceder a un programa como Mail o Pages y pegar esa imagen en el documento que está creando.

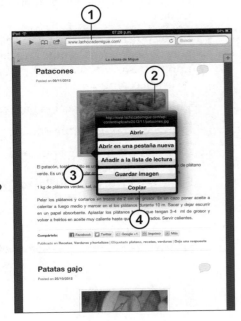

VISUALIZAR ARTÍCULOS DE NOTICIAS CON EL LECTOR DE SAFARI

Las páginas Web del iPad pueden ser brillantes y hermosas pero hay veces en las que el sitio Web intenta embutir demasiado texto y otros contenidos dentro de una página, hasta el extremo de hacer daño a nuestra vista. En estos casos, puede utilizar la funcionalidad Lector para limpiar todo lo que sobra de la página y quedarse con el texto de una noticia o un artículo de un blog.

1. Busque el botón **Lector** en el campo de direcciones. Sólo aparecerá en los artículos de algunas noticias y en publicaciones de blogs. Púlselo para pasar a modo Lector.

2. En modo Lector, sólo aparecerán el texto y las imágenes insertadas en el artículo.

3. Pulse en el botón del tamaño de fuente para hacer el texto más grande o más pequeño.

4. Pulse de nuevo en **Lector** para regresar a la vista normal de la página.

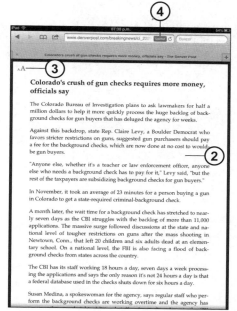

Objetivos:

A continuación vamos a ver cómo configurar y utilizar el programa Mail de su iPad para utilizar el correo electrónico y cómo utilizar las aplicaciones Mensajes y Twitter para enviar y recibir mensajes.

Configure su correo.

Leer el correo.

Crear un mensaje nuevo.

Crear una firma.

Borrar y mover mensajes.

Buscar correos.

Configurar cómo se recibe el correo.

Más ajustes de correo.

Configurar Mensajes.

Conversar mediante mensajes.

Configurar Twitter.

Seguir a personas en Twitter.

Cómo tuitear.

8. Comunicarse por correo electrónico, Mensajes o Twitter

Ahora que dispone de un iPad que se puede llevar a todas partes, con una batería que parece eterna, ya no tiene excusa para no responder a los correos electrónicos. Por tanto, es pertinente que se acostumbre al uso de las aplicaciones de correo que vienen instaladas y que le permiten conectar con su correo personal o del trabajo utilizando los protocolos estándar como POP e IMAP. Incluso puede conectar con sistemas más propietarios como AOL, Exchange o Yahoo!.

CONFIGURE SU CORREO

Esta es una lista completa de la información que necesita para configurar en su iPad una cuenta de correo electrónico tradicional. Si dispone de un servicio como Exchange, Gmail, AOL, Yahoo! o iCloud, no necesitará todo esto.

- ► Dirección de correo electrónico.
- ► Tipo de cuenta.
- ► Dirección del servidor de correo entrante.
- ► ID del usuario de correo entrante.
- ► Contraseña del correo entrante.
- ► Dirección del servidor de correo saliente.
- ► ID del usuario de correo saliente.
- ► Contraseña del correo saliente.

IMAP frente a POP

POP (*Post Office Protocol*, Protocolo de oficina de correo) recibe y elimina el correo de un servidor. El servidor hace de lugar de almacenamiento temporal para el correo electrónico. Es difícil utilizar POP si recibe el correo tanto en su iPad como en un ordenador. Necesitará tener un correo que vaya a un dispositivo y otro correo al otro dispositivo, o configurar un dispositivo para que no elimine el correo del servidor, de modo que el segundo también se lo pueda descargar.

IMAP (*Internet Message Access Protocol*, Protocolo de acceso a mensajes de Internet) convierte al servidor en el lugar en el que se almacenan estos mensajes, de modo que su iPad y su ordenador se limitan a mostrar lo que hay en el servidor. Esto es más adecuado para situaciones en las que se tienen varios dispositivos que reciben el correo de la misma cuenta.

Si se está preguntando por qué no se salta toda la configuración y solamente utiliza el *webmail* en su iPad, es porque entonces no podrá las funcionalidades de correo electrónico de otras aplicaciones (por ejemplo, cuando desee enviar enlaces o fotos por correo) si no configura su cuenta.

1. Pulse en el icono **Ajustes** de su pantalla de inicio.
2. Pulse en Correo, contactos, calendarios.
3. Pulse en Añadir cuenta.

4. Si tiene una cuenta de iCloud, Microsoft Exchange, Gmail, Yahoo! Mail, AOL o Hotmail, pulse en el botón correspondiente. A partir de ahí, sólo tiene que introducir su información, y su iPad averiguará el resto. ¡Puede saltarse el resto de los pasos!

5. Pulse en Otras si tiene una cuenta IMAP o POP tradicional de su trabajo, su proveedor de Internet o una empresa de alojamiento Web tradicional.

6. Pulse sobre Añadir cuenta.

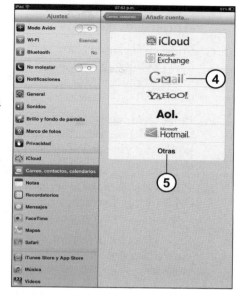

7. Pulse en el campo Nombre e introduzca su nombre.

8. Pulse en el campo Dirección e introduzca su nombre.

9. Pulse en el campo Contraseña e introduzca su contraseña.

10. El campo Descripción se rellenará automáticamente con una copia de su dirección de correo. Puede utilizar esa u otra descripción para la cuenta.

11. Pulse en **Siguiente**.

12. Pulse en IMAP o POP, dependiendo del tipo de cuenta.

13. Pulse en el campo Nombre de host del Servidor de correo entrante e introduzca la dirección de su host de correo electrónico.

14. Pulse en el campo Nombre de usuario del Servidor de correo entrante e introduzca su nombre de usuario.

15. Pulse en el campo Contraseña del Servidor de correo entrante e introduzca su contraseña.

16. Repita los tres pasos anteriores para el Servidor de correo saliente.

17. Pulse en **Siguiente** para iniciar el proceso de verificación, que puede tardar hasta un minuto.

¿Y si falla la verificación?

Si su configuración no pasa el proceso de validación, deberá comprobar toda la información que ha introducido. Este tipo de errores suelen consistir en que se ha introducido un carácter incorrecto al teclear en uno de los campos.

LEER EL CORREO

Para leer su correo electrónico, utilice la aplicación Mail, cuyo formato es mucho más cómodo y sencillo que navegar y escribir en modo horizontal. Vamos a empezar leyendo algunos correos.

1. Pulse en el icono de la aplicación **Mail** de la pantalla de inicio.

2. A la izquierda verá una lista del correo entrante. A la derecha, el mensaje seleccionado.

3. Pulse sobre un mensaje para verlo.

4. Si desea comprobar si hay correo nuevo, arrastre la lista de mensajes hacia abajo y levante el dedo. La lista rebotará hacia arriba y le preguntará al servidor si hay mensajes nuevos.

5. Pulse en Detalles para ver más campos, como las direcciones de correo Para: y Cc:.

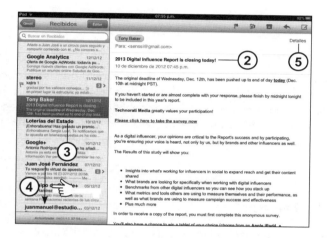

6. Pulse en la dirección de correo electrónico del emisor.

7. Pulse en Nuevo contacto para agregar al emisor a sus contactos.

8. Pulse en Contacto existente para añadir la dirección de correo a un contacto que ya se encuentra en su aplicación Contactos.

9. Pulse en el botón de la carpeta de la parte superior del mensaje.

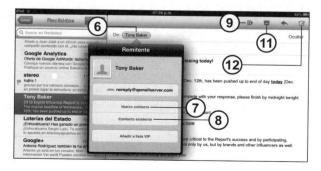

10. Pulse en una carpeta para mover el mensaje actual a dicha carpeta.

11. Pulse en el botón de la papelera de la parte superior del mensaje para enviar el mensaje directamente a la carpeta Papelera.

12. Pulse el botón de la flecha de la parte superior del mensaje para responder o reenviar el mensaje.

Varias carpetas de entrada

Si tiene más de una cuenta de correo, puede escoger entre mirar en los buzones de entrada de una en una o bien tener un buzón unificado que incluya mensajes de todas las cuentas. Sólo tiene que escoger Todos cuando esté en el apartado Buzones de entrada, en el lado izquierdo de la pantalla. También puede optar por ver el buzón de entrada de una sóla cuenta o acceder a una de sus carpetas.

¿Cómo se crean las carpetas?

En la mayoría de las cuentas de correo (en especial, las de IMAP, Gmail y iCloud) se pueden crear buzones de correo mediante la aplicación Mail. Utilice la flecha de retroceso de la esquina superior izquierda de Mail para regresar a la lista de los buzones de entrada y las cuentas. Escoja una cuenta y pulse el botón **Editar**. Verá un botón **Nuevo buzón** en la parte inferior de la pantalla.

VIP

En iOS se incorpora la capacidad de hacer que un contacto sea "VIP". Esto se puede hacer al seleccionar el nombre del emisor en un correo entrante. Entonces, sus mensajes seguirán apareciendo en su buzón de entrada como siempre pero también en un buzón VIP. Así pues, cuando reciba muchos correos y desee ver sólo los de algunas personas muy importantes, seleccione su buzón VIP en vez del buzón de entrada. Si utiliza buzones VIP en sus cuentas de correo de iCloud, las verá también en su Mac y otros dispositivos iOS que utilicen esa cuenta de iCloud.

CREAR UN MENSAJE NUEVO

Tanto si crea un mensaje nuevo como si responde a uno que haya recibido, el proceso es similar. Vamos a echarle un vistazo a la creación desde cero.

1. Dentro de la aplicación Mail, pulse en el botón con forma de cuaderno y lápiz.

2. Introduzca una dirección Para:.

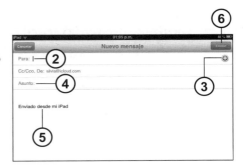

3. Otra opción es pulsar el botón + para mostrar una lista de contactos y escoger el destinatario desde ésta.

4. Pulse en el campo Asunto y escriba un asunto para el correo.

5. Pulse debajo del campo del asunto, en el cuerpo del mensaje, y escriba el contenido de éste.

6. Pulse el botón **Enviar**.

Siri: Envía un correo

Puede utilizar Siri para enviar un correo electrónico diciéndole: "Envíale un correo a" seguido del nombre del destinatario. Le preguntará por el asunto y el contenido del mensaje y, después, se lo mostrará permitiéndole escoger entre enviarlo o cancelar la operación.

Incluir imágenes

Puede copiar y pegar dentro de los mensajes de Mail del mismo modo que en cualquier área de introducción de textos de su iPad. ¡Y también puede pegar imágenes! Sólo tiene que copiar una imagen de cualquier fuente (la aplicación Fotos, Safari, etc.), pulsar después en el cuerpo del mensaje y escoger **Pegar**. Puede pegar más de una imagen si lo desea.

CREAR UNA FIRMA

En la aplicación Ajustes, puede crear una firma que se inserte al final de sus mensajes automáticamente.

1. Dentro de la aplicación Ajustes, escoja Correo, contactos, calendarios.

2. Pulse sobre Lista, que se encuentra abajo en la segunda lista de la derecha.

3. Si tiene configurada más de una cuenta de correo, puede tener una firma para todas las cuentas o escoger una diferente para cada una de ellas.

4. Escriba una firma en uno de los campos de firma. No necesita hacer nada para guardarla; puede pulsar en el botón de inicio de su iPad para salir de los ajustes, si lo desea.

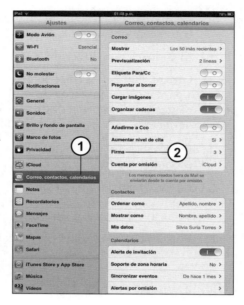

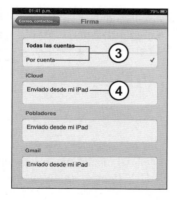

Firmas personalizadas

Aunque tenga varias cuentas en su iPad, puede tener sólo una firma. Pero como la firma se coloca en el área editable del campo de composición del mensaje, puede modificarla a su gusto, como el resto del contenido.

BORRAR Y MOVER MENSAJES

Cuando esté viendo un mensaje, puede simplemente pulsar en el icono de la papelera para mover el mensaje a ésta. También puede mover un grupo de mensajes a la papelera o a una carpeta.

1. Dentro de la aplicación Mail, acceda a cualquier buzón y a cualquier subcarpeta, como su buzón de entrada.

2. Pulse en el botón **Editar**.

3. Pulse en el círculo junto a cada mensaje para seleccionarlo. Los mensajes se irán añadiendo al centro de la pantalla en una pila ligeramente desordenada.

4. Pulse en el botón **Archivar** para borrar los mensajes seleccionados.

5. Si pulsa en el botón **Mover**, el lado izquierdo de la pantalla pasará a ser una lista de carpetas. Puede seleccionar una carpeta para mover a ésta todos los mensajes.

6. Pulse en el botón **Cancelar** para salir sin borrar ni mover mensajes.

¿Y qué pasa con el spam?

Su iPad no lleva incorporado ningún filtro anti-spam. Por suerte, la mayoría de los servidores de correo filtran el spam en el propio servidor. Si utiliza una cuenta POP o IMAP, no tendrá ningún filtro de spam en el servidor, lamentablemente, pero si utiliza una cuenta de un servicio como Gmail el smap se filtrará en el servidor y el correo basura irá a parar automáticamente a la carpeta Spam en vez de al buzón de entrada.

BUSCAR CORREOS

También puede buscar mensajes utilizando la aplicación Mail.

1. En la aplicación Mail, desde la vista de un buzón de correo, pulse sobre el campo de búsqueda.

2. Introduzca un término de búsqueda.

3. Seleccione **De**, **Para**, **Asunto** o **Todo** para decidir en qué parte del mensaje desea buscar.

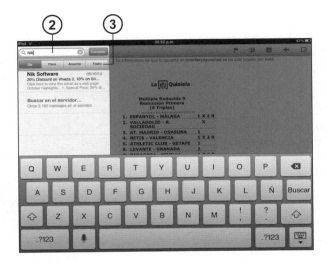

4. Escoja el mensaje a ver de entre los resultados de la búsqueda.

5. Pulse en el la tecla que oculta el teclado si desea que no se muestre.

6. Pulse en **Cancelar** para finalizar la búsqueda y regresar al buzón que estaba viendo anteriormente.

Buscar textos dentro de mensajes

Las búsquedas se pueden hacer en los campos **De**, **Para** o **Asunto**. También puede buscar en el cuerpo de sus mensajes seleccionando la opción **Todo**. Sin embargo, esto sólo funciona con los mensajes guardados en su iPad. Si utiliza un correo basado en servidor, como IMAP, iCloud, Gmail, etc., puede que el resultado no sea el esperado.

CONFIGURAR CÓMO SE RECIBE EL CORREO

Aparte de la configuración básica de la cuenta, puede realizar otros ajustes. Puede decidir cómo desea recibir el correo, si utilizará el sistema *push* (iCloud y Microsoft Exchange) o si será su iPad el que obtenga los mensajes (resto de cuentas de correo).

1. Acceda a la aplicación Ajustes y pulse sobre Correo, contactos, calendarios.

2. Pulse en Obtener datos.

3. Pulse en Push para utilizar la recepción de correo si utiliza cuentas que se pueden enviar de esta manera.

4. En caso contrario, seleccione la frecuencia con la que desea que su iPad acceda al servidor y se traiga el correo.

5. Pulse en Avanzado.

6. Para cada cuenta que se traiga el correo, pulse en la cuenta para escoger entre Obtener y Manual.

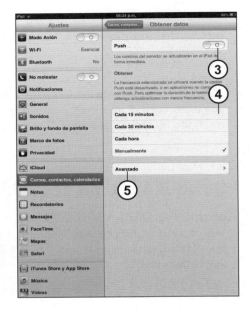

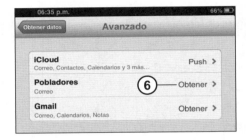

Configuración de Push

Las dos opciones de la mayoría de las cuentas son Obtener y Manual. Si tiene una cuenta *push*, como iCloud, dispone de tres opciones: Push, Obtener y Manual. Si lo prefiere, puede cambiar una cuenta *push* a Obtener o Manual.

Siri: Mira el correo

Puede pedirle a Siri que le muestre una lista rápida de los mensajes nuevos de su correo diciéndole: "Mira el correo". Dentro de la interfaz de Siri verá una lista que le permitirá pulsar sobre un mensaje para leerlo en la aplicación Mail.

MÁS AJUSTES DE CORREO

Puede cambiar aún más opciones del correo en la aplicación Ajustes. Vamos a echarle un vistazo a algunas de ellas.

1. Pulse en Mostrar para escoger el número de mensajes a mostrar en su buzón de entrada. Puede escoger entre 25, 50, 75, 100 o 200.

2. Pulse en Previsualización para escoger cuántas líneas de cada mensaje se mostrarán en la vista previa cuando los mensajes se visualicen como una lista.

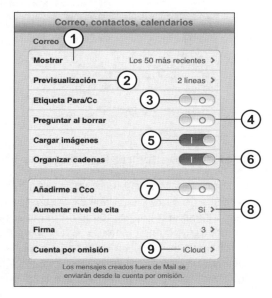

3. Active Etiqueta Para/Cc para ver Para o Cc en los correos de la lista, y así poder saber si es el destinatario principal o alguien que está en copia de un correo destinado a otra persona.

4. Active Preguntar al borrar para que se pida confirmación al pulsar en el botón de la papelera en Mail.

5. Desactive **Cargar imágenes** para no mostrar en el cuerpo del mensaje las imágenes vinculadas al correo pero ubicadas en un servidor remoto.

6. Para agrupar respuestas a un mensaje dentro del mensaje original, seleccione Organizar cadenas. Le será útil si se va a suscribir a listas de discusión por correo electrónico.

7. Active Añadirme a Cco si desea recibir una copia de todos los correos que envíe para poder mover, después, las copias de sus correos a la carpeta Enviados de su ordenador.

8. Escoja si desea sangrar el texto de las citas del mensaje original al responder a un mensaje.

9. Pulse en Cuenta por omisión para determinar qué cuenta se utilizará por defecto para enviar correo en el caso de que tenga configurada más de una cuenta en su iPad.

10. En la mayoría de las aplicaciones desde las que se envían correos, puede escribir un mensaje y también cambiar la cuenta utilizada para enviar el correo.

¿Por qué no mostrar las imágenes remotas?

La principal razón para no mostrar imágenes remotas es el ancho de banda. Si recibe un correo en el que se hace referencia a 15 imágenes, deberá descargarse una gran cantidad de datos y, por tanto, el correo tardará un tiempo en mostrarse completamente. Sin embargo, las imágenes remotas se utilizan con frecuencia como un medio para saber si el destinatario ha abierto y visto el mensaje. Por tanto, al desactivar esta opción, podría alterar las estadísticas y la funcionalidad de acuse de recibo que espera el emisor.

CONFIGURAR MENSAJES

Aunque su iPad no es un teléfono, puede enviar mensajes de texto. El truco está en que sólo puede enviar mensajes a otros usuarios del sistema iMessage de Apple. Esto incluiría a cualquiera que utilizara iOS 5 en un iPad, iPhone o iPod touch, siempre que tuviese contratado el servicio gratuito.

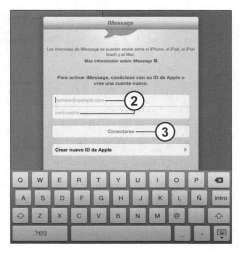

1. Inicie la aplicación Mensajes.

2. Si esta es su primer vez, necesitará introducir su ID y su contraseña de Apple. Si no, salte al paso 3.

3. Pulse en Conectarse.

4. Para Mensajes, puede utilizar cualquier dirección suya de correo electrónico válida aunque no sea la misma que la de su ID de Apple. Ésa será la dirección de correo que los demás utilicen para enviarle mensajes.

5. Pulse en **Siguiente**.

CONVERSAR MEDIANTE MENSAJES

Una vez configurada una cuenta para Mensajes, podrá enviar mensajes a otras personas de un modo rápido y sencillo. La próxima vez que inicie Mensajes, accederá directamente a la pantalla principal.

1. En un nuevo mensaje, pulse en el campo Para: e introduzca la dirección de correo del destinatario. Tenga en cuenta que, si no se ha registrado en iMessage, no podrá enviar nada. Si desea añadir otro destinatario para sus contactos, pulse el botón +.

2. Pulse en el campo de texto que hay bajo el teclado para escribir su mensaje.

3. Pulse en **Enviar** para enviar el mensaje.

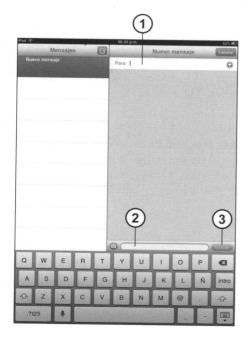

4. Verá la conversación como una serie de bocadillos de texto. Los suyos aparecerán a la derecha.

5. Cuando su amigo responda, verá también sus bocadillos.

6. En el lado izquierdo, se mostrará la lista de conversaciones. Puede tener muchas conversaciones activas al mismo tiempo o bien utilizar esta lista para buscar conversaciones antiguas.

7. Además de textos, puede enviar imágenes pulsando el icono de la cámara fotográfica.

8. Pulse el botón en forma de papel y pluma para iniciar una conversación nueva.

9. Pulse en **Editar** para acceder a los botones que le permiten borrar conversaciones antiguas.

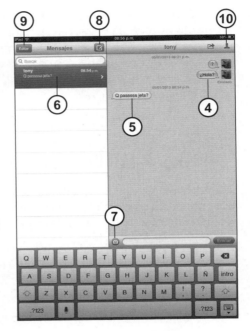

10. Pulse en el icono de la persona para realizar tareas diversas, como enviarle un correo electrónico al destinatario, agregarle a sus contactos o iniciar un chat de vídeo con FaceTime.

Siri: Envía un correo

Puede utilizar Siri para enviar correos electrónicos mediante una serie de respuestas. Primero, active Siri y diga algo así como: "Envíale un correo a Juan". Le pedirá el asunto del mensaje. Después de dictárselo, le pedirá el texto del mensaje. Después, le mostrará el mensaje para que lo revise. Le preguntará: "¿Lo envío?". Si responde: "Sí", Siri enviará el correo. Para cancelar el envío, responda: "No".

CONFIGURAR TWITTER

Otro modo de enviar mensajes es utilizar el popular servicio Twitter. Pero en vez de para mantener conversaciones privadas, Twitter está pensado para que le cuente al mundo lo que está haciendo.

Si ya dispone de una cuenta de Twitter, puede utilizar la aplicación oficial de Twitter que viene con su iPad. Si no es así, puede crearse una cuenta.

1. Para instalar la aplicación Twitter, acceda a Ajustes y pulse en Twitter en el lado izquierdo. Inicie Twitter desde la pantalla de inicio.

2. Si ya dispone de una cuenta, pulse en **Iniciar sesión**.

3. Si necesita crearse una cuenta en Twitter, puede hacerlo desde aquí pulsando en **Registrarse** e introduciendo, a continuación, la información requerida para la cuenta.

4. Introduzca su nombre de usuario y su contraseña de Twitter.

5. Pulse en **Guardar**.

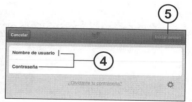

SEGUIR A PERSONAS EN TWITTER

Aunque no sea de los que tuiteen mucho, puede entretenerse con Twitter siguiendo a otras personas. Puede aprender cosas y mantenerse informado. La clave está en elegir bien a quién seguir y agregarle.

1. Pulse en el icono de la lupa.

2. Escriba el nombre o el usuario de Twitter de la persona a la que desea seguir.

3. Pulse en un perfil que coincida con lo que busca y ayúdese de la imagen para identificar a la persona adecuada.

4. Pulse en el botón **Seguir** para agregarle a la lista de personas a las que desea seguir.

¿A quién sigo?

Eso dependerá del uso que le quiera dar a Twitter. Si sólo desea saber lo que están haciendo sus amigos, entonces sígales únicamente a ellos. Si quiere oír lo que opinan los famosos, entonces busque a alguno de sus favoritos. También puede buscar a profesionales y expertos del sector para aprender más y estar mejor informado. Y no limite su búsqueda a la gente. Las publicaciones y las organizaciones también tienen cuentas de Twitter, ya sean locales o internacionales.

CÓMO TUITEAR

¿Está pensando en sumar su voz a la conversación? En Twitter, enviar un tuit es muy sencillo.

1. Pulse el botón en forma de papel y pluma.

2. Introduzca el texto de su tuit. Debe tener 140 caracteres o menos.

3. Puede añadir una foto o un vídeo a su tuit. Este botón subirá la imagen al servicio que haya seleccionado en sus preferencias de Twitter y colocará un enlace al archivo en el tuit.

4. Puede añadir su localización al tuit.

5. Pulse en **Twittear**.

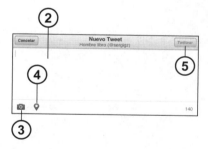

Siri: Tuitea

Puede utilizar Siri para enviar un tuit con sólo decirle: "Envía un tuit". Si lo hace, le pedirá que le dicte el mensaje. Igual que con los correos, puede revisar el mensaje antes de enviarlo para indicar su conformidad.

Objetivos:

En este capítulo utilizaremos la aplicación Cámara para hacer fotos, la aplicación Fotos para ver las fotografías y crear presentaciones de diapositivas y la aplicación iPhoto para editar fotos y crear journals.

Hacer fotos.

Cómo utilizar Photo Booth.

Explorar las fotos.

Editar fotos.

Compartir fotos.

Visualizar álbumes.

Crear álbumes.

Crear un pase de diapositivas.

Convertir su iPad en un marco de fotos.

Capturar la pantalla.

Borrar fotos.

Ajustar fotos en iPhoto.

Utilizar efectos de pincel en las fotos de iPhoto.

Aplicar efectos especiales a las fotos de iPhoto.

Compartir fotos con iPhoto.

Crear journals con iPhoto.

9. Hacer y editar fotos

Además de sustituir a los libros tradicionales, el iPad también sustituye a los álbumes de fotos. Además, la pantalla de su iPad es un hermoso lugar donde mostrarlas.

Para acceder a las fotos de su iPad, primero debe sincronizarlas con su ordenador, lo que le permitirá utilizar la aplicación Fotos para explorar sus fotos.

Su iPad también le permite hacer fotografías, dado que lleva cámaras incorporadas. Estas fotos también las podrá ver con la aplicación Fotos.

HACER FOTOS

El iPad mini incluye dos cámaras que puede utilizar para tomar fotos. La principal aplicación para hacer esto es Cámara.

1. Inicie la aplicación Cámara desde la página de inicio. Nada más abrirse la aplicación, verá la imagen captada por la cámara.

2. Antes de nada, localice el interruptor de la esquina inferior derecha de la pantalla y asegúrese de que está en la posición cámara (izquierda) en vez de vídeo (derecha).

3. Pulse en el botón que hay a la izquierda para cambiar entre la cámara frontal y la posterior.

4. Una vez que haya pulsado en la imagen, y si está utilizando la cámara frontal, puede hacer zoom sobre ésta. Para ello, coloque sus dedos sobre la pantalla y sepárelos, como si pellizcara a la inversa. Cuando lo haga, verá que en la parte inferior de la pantalla aparece un deslizador de zoom.

5. Pulse sobre el botón **Opciones** de la parte inferior de la pantalla para mostrar una cuadrícula sobre la imagen.

6. Para tomar la fotografía, pulse sobre el botón grande de la cámara que hay en el lado derecho de la pantalla.

7. Pulse en el botón de la parte inferior izquierda para acceder al Carrete y ver las fotografías que ha tomado.

8. Cuando esté en el Carrete, pulse en el centro de la imagen para mostrar los controles de las partes superior e inferior de la pantalla.

9. Utilice el deslizador de la parte inferior para desplazarse por las imágenes que haya tomado que estén en su Carrete. También puede barrer con el dedo a izquierda y derecha para cambiar de foto.

10. Pulse en **Carrete** para dejar de visualizar esta imagen y saltar a una vista de iconos que muestra todas las fotos de su carrete.

11. Pulse para iniciar un pase de diapositivas con las imágenes del Carrete.

12. Pulse para imprimir, copiar o enviar por correo la foto. También puede enviar la foto por correo a través de Twitter, Facebook, un mensaje de texto, un correo electrónico o al servicio de Fotos en Streaming de iCloud.

13. Pulse para borrar la foto.

14. Pulse en **OK** para regresar a la aplicación Cámara y hacer otra fotografía.

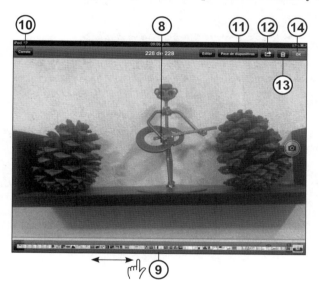

CÓMO UTILIZAR PHOTO BOOTH

Además de la funcionalidad básica de toma de fotografías de la aplicación Cámara, también puede utilizar la aplicación Photo Booth, instalada de serie en su iPad, para hacer fotos más creativas utilizando uno de los ocho filtros especiales.

1. Inicie la aplicación Photo Booth.

2. Al principio verá todos los filtros que puede escoger. Pulse en uno de los filtros para seleccionarlo.

3. Ahora verá sólo uno de los filtros, además de algunos botones. Pulse en el botón de la parte inferior derecha para cambiar entre las cámaras frontal y posterior.

4. Pulse en el botón de la parte inferior izquierda para regresar a la vista anterior de los nueve filtros.

5. Pulse en el botón de la cámara de la parte inferior para hacer la foto.

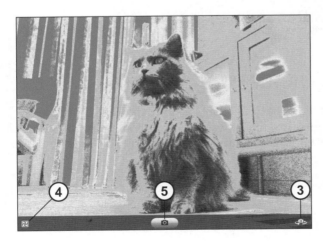

6. Algunos filtros también le permiten ajustarlo pulsando sobre la imagen de vídeo. Por ejemplo, el filtro Túnel de luz le permite determinar la posición del centro del túnel.

7. Según vaya haciendo fotos, se irán colocando en la parte inferior de la pantalla, en una lista. Seleccione una de las fotos para que se muestre el botón **X** que le permite borrarla.

8. Pulse en el botón de la parte inferior derecha para seleccionar las fotos a copiar o enviar por correo. Todas las fotografías pasan al Carrete según se van tomando, por lo que también podrá acceder a ellas desde la aplicación Fotos.

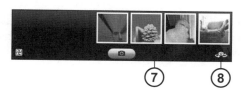

Una especie de flash

Cuando haga una foto con la cámara frontal de su iPad, la pantalla reproducirá un efecto similar a un flash que la volverá blanca durante un segundo. Este flash puede resultarle útil si está disparando con poca luz.

EXPLORAR LAS FOTOS

Una vez sincronizado su PC o Mac, debería tener algunas fotos en su iPad, asumiendo que haya configurado la sincronización en iPhoto o iTunes. Entonces podrá explorarlas con la aplicación Fotos.

1. Pulse en el icono de la aplicación **Fotos** para iniciarla.

2. Pulse en una de las opciones de visualización. Debería tener entre dos y cinco opciones, dependiendo de cómo haya sincronizado su iPad.

3. Pulse en **Fotos** para asegurarse de que está en modo de visualización de fotos.

4. Arrastre o deslice la ventana verticalmente para moverse por todas las fotos de su iPad.

5. Pulse sobre una foto para visualizarla. En la mayoría de las fotos, suele ser mejor colocar el iPad en su posición horizontal para verlas aprovechando el ancho de la pantalla.

¿Qué es Photo Stream?

¿Ve la opción Fotos en Streaming en la parte superior de la pantalla? Si utiliza el servicio iCloud de Apple, cuando haga fotos con un dispositivo iOS, las imágenes aparecerán en sus Fotos en Streaming. Así, al tomar una foto con un iPhone, la imagen se situará en sus Fotos en Streaming tanto en su iPhone como en su iPad. También aparecerán en iPhoto si dispone de un Mac. Apple TV también tiene la capacidad de mostrarle sus Fotos en Streaming. Una vez configurado iCloud en ambos, no tiene que hacer nada; Fotos en Streaming es sólo uno de las muchas cosas que iCloud mantiene sincronizadas entre los dispositivos.

6. Para pasar a la foto siguiente o anterior, arrastre a izquierda o derecha.

7. Para mostrar los controles de las partes superior e inferior de una foto, pulse en el centro de la pantalla.

8. Puede pulsar y deslizar su dedo sobre las pequeñas miniaturas de la parte inferior de la pantalla para desplazarse por las fotos.

9. Pulse en el botón **Fotos** de la parte superior de la pantalla para regresar a la lista de fotos.

Hacer zoom y rotar

Lo que sigue son algunos consejos para navegar por las fotos cuando las esté visualizando:

▶ Toque con dos dedos sobre la pantalla cuando visualice una foto, y pellizque para hacer zoom. Invierta el movimiento de los dedos para deshacer el zoom.

▶ Haga una pulsación doble para deshacer el zoom y regresar al tamaño normal.

▶ Cuando esté viendo una foto a su tamaño normal, haga una pulsación doble para ajustarla al tamaño de la pantalla, con los bordes recortados.

▶ Si pellizca lo suficiente, la imagen se cerrará y regresará al modo de navegación.

EDITAR FOTOS

Puede editar las fotos en su iPad recortándolas, rotándolas y mejorando la calidad de la imagen.

1. Pulse en el icono de la aplicación **Fotos** para iniciarla.

2. Cuando esté viendo una foto, pulse en el botón **Editar** para comenzar la edición.

3. Al pulsar en el botón **Girar** rotará la imagen 90 grados en el sentido contrario a las agujas del reloj.

4. Pulse el botón **Mejorar** para ajustar automáticamente el brillo, el contraste y otros parámetros de calidad de la imagen. Estos ajustes no se pueden realizar manualmente; la única posibilidad es pulsar este botón y esperar que el resultado sea mejor que lo que tenía antes.

5. Pulse el botón **Ojos rojos** para indicar la posición de los ojos en la imagen y eliminar el efecto de ojos rojos que pueda haber causado el flash.

6. Pulse el botón **Recortar** para seleccionar una parte de la imagen. También puede rotar ligeramente la imagen para enderezarla de este modo.

7. Puede pulsar en cualquier momento el botón **Volver al original** para deshacer todos los cambios y empezar de nuevo.

8. Una vez realizada la primera modificación, puede utilizar el botón **Deshacer** para deshacer el cambio. También puede pulsarlo varias veces seguidas para deshacer una serie de cambios.

9. Cuando haya realizado varios cambios y quiera guardar la imagen, pulse en el botón **Guardar**. Esto creará una nueva copia de la imagen en su biblioteca de fotos con todos los ajustes que haya aplicado.

COMPARTIR FOTOS

Desde la aplicación Fotos se pueden compartir las fotos de muchas maneras.

1. Cuando visualice una única imagen en la aplicación Fotos, pulse en el botón de la flecha que está dentro de un cuadro, en la esquina superior derecha.

2. Pulse el botón **Enviar por correo** para enviar la foto actual por correo electrónico.

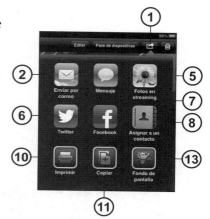

3. Cuando pulse en **Enviar por correo**, se mostrará una pantalla de composición de correo que lleva adjunta la foto para que pueda escribir el mensaje.

4. También puede enviar la foto a alguna otra persona utilizando el sistema iMessage. Encontrará más información sobre éste en el capítulo 8.

5. Si utiliza la funcionalidad Fotos en Streaming de iCloud, puede enviar la foto a esta aplicación aunque no se trate de una foto tomada con la cámara de su iPad, como en el caso de una foto hecha con su iPhone.

6. También puede enviar la foto a su cuenta de Twitter. Si pulsa aquí, se mostrará un pequeño cuadro de diálogo para escribir un mensaje en Twitter, que le permitirá agregar un mensaje a la foto.

7. Igualmente, puede publicar la foto junto a un mensaje en su muro de Facebook.

8. Pulse en **Asignar a un contacto** para mostrar una lista de todos sus contactos y poder agregar la foto como imagen de miniatura del contacto.

9. Pulse sobre el nombre de un contacto para asignar la imagen a ese contacto.

10. Pulse en **Imprimir** para enviar la imagen a su impresora en red. Encontrará más información sobre cómo imprimir con su iPad en el capítulo 18.

11. Pulse en **Copiar** para copiar la foto en su portapapeles. De este modo, podrá pegarla en documentos o mensajes de correo de otras aplicaciones.

12. Para copiar más de una imagen, pulse en **Editar** cuando esté visualizando sus fotos y, luego, seleccione una o varias fotos para enviarlas por correo o copiarlas.

No es la imagen original

Si sincroniza una foto de su ordenador con su iPad y luego se la envía a la gente, lo que recibirán será una imagen reducida en vez de la original. Los álbumes del iPad contienen imágenes reducidas para ahorrar espacio. Si desea enviar la original, envíe el correo desde su ordenador.

13. Pulse en **Fondo de pantalla**.

14. Asigne la imagen como fondo para la **Pantalla bloqueada**, para la **Pantalla de inicio** o para **Ambas**.

VISUALIZAR ÁLBUMES

Mirar una interminable lista de fotos no es el mejor modo de visualizar su colección. Utilice los álbumes para organizarlas de un modo sencillo.

1. Dentro de la aplicación Fotos, pulse en el botón **Álbumes**. La mayoría de los álbumes se corresponderán con sus álbumes de iPhoto o sus carpetas si ha sincronizado las imágenes con el sistema de archivos de su ordenador.

2. Pulse en un álbum para expandirlo y ver todas las fotos.

3. Pulse en cualquier foto para visualizarla.

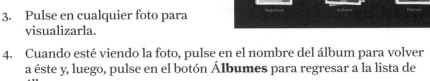

4. Cuando esté viendo la foto, pulse en el nombre del álbum para volver a éste y, luego, pulse en el botón **Álbumes** para regresar a la lista de álbumes.

Regresar al álbum

Cuando haya terminado de buscar dentro de un álbum, puede regresar a la lista de álbumes pulsando el botón **Álbumes** o un botón de nombre similar en la esquina superior izquierda. Pero también puede pellizcar sobre todas las fotos para agruparlas en el centro de la pantalla. Si lo hace, al separar la mano de la pantalla, regresará a la lista de álbumes.

5. Pulse sobre **Lugares** para ver las fotos etiquetadas geográficamente (localizadas y marcadas por GPS). Necesitará utilizar Lugares en el iPhoto de su Mac para que aparezca.

6. Pulse en uno de los marcadores del mapa y defina una serie de puntos alrededor de él.

7. Pulse en el conjunto de fotos para examinar las imágenes.

CREAR ÁLBUMES

Puede crear nuevos álbumes directamente desde su iPad. El proceso consiste en darle un nombre a este nuevo álbum y seleccionar después las fotos que aparecerán en el álbum.

1. Pulse en el icono de la aplicación **Fotos** para iniciarla.

2. Pulse en **Álbumes**, en la parte superior, para ver sus álbumes.

3. Pulse en el botón **Editar** para pasar a modo edición.

4. Pulse en el botón + para crear un nuevo álbum de fotos.

5. Se le pedirá que introduzca un nombre para el álbum.

6. Pulse sobre las fotos que desea incluir en su nuevo álbum. Las fotos seleccionadas mostrarán una marca de verificación.

7. Puede utilizar los botones **Fotos en streaming**, **Álbumes**, **Caras** y **Lugares** de la parte superior de la pantalla para buscar fotos.

8. Pulse en **OK** para completar el álbum.

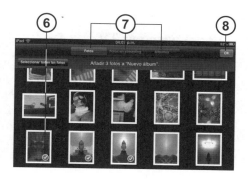

Puede editar cualquier álbum que haya creado en su iPad pero no un álbum que haya creado en su ordenador y que luego haya sincronizado con su iPad. Para ello, regrese al paso 4 y seleccione un álbum creado en el iPad en lugar de pulsar el botón +.

CREAR UN PASE DE DIAPOSITIVAS

Otro modo en que puede ver sus fotos es como un pase de diapositivas, con música y transiciones.

1. Pulse en el icono de la aplicación **Fotos** para iniciarla.

2. Acceda a su lista de fotos o seleccione **Álbumes**, **Eventos**, **Caras** o **Lugares**.

3. Pulse en el botón **Pase de diapositivas**.

4. Pulse en el botón **Reproducir música** para activarlo o desactivarlo.

5. Si desea utilizar música, pulse aquí para seleccionar una canción de su colección de iTunes.

6. Escoja una transición.

7. Pulse en **Iniciar pase**.

Detener un pase de diapositivas

Pulse en cualquier parte de la pantalla para detener un pase de diapositivas.

CONVERTIR SU IPAD EN UN MARCO DE FOTOS

Puede configurar su iPad para que muestre un pase de diapositivas cuando no se encuentre en la aplicación Fotos. La función Marco de Fotos se configura en Ajustes y se activa desde la pantalla de bloqueo.

1. Acceda a la aplicación Ajustes.

2. Pulse en Marco de fotos.

3. Escoja entre las transiciones Disolución y Origami.

4. Active o desactive la opción Zoom en las caras. Si la activa, se hará zoom en las fotos que contengan caras ofreciendo un primer plano.

5. Active o desactive la opción Aleatorio para mostrar las fotos en un orden aleatorio.

6. Escoja entre todas las fotos, las de los álbumes, las caras o los eventos.

7. Dependiendo de la opción elegida en el paso 6, podrá escoger entre uno o varios álbumes, caras o eventos.

Un álbum para el marco de fotos

Si desea tener todo el control sobre el pase de diapositivas y utiliza un Mac, cree un álbum especial llamado por ejemplo "Marco de fotos del iPad" y llénelo sólo con las fotos que desee utilizar. Cerciórese de que ha marcado este álbum para su sincronización en iTunes. Después, configure los ajustes de Marco de fotos para que sólo muestre fotos de este álbum.

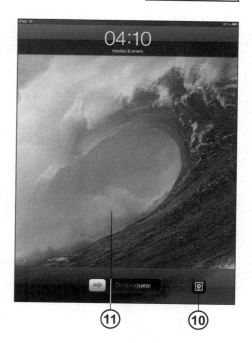

8. Bloquee su iPad pulsando el botón **Reposo/Activación** de la parte superior del dispositivo.

9. Pulse el botón **Inicio** para mostrar la pantalla de bloqueo.

10. Sin desbloquear su iPad, pulse en el botón **Marco de fotos** de la parte inferior derecha del deslizador de desbloqueo para que su iPad pase a modo Marco de Fotos.

11. Pulse en cualquier momento sobre la pantalla para volver a mostrar los controles de desbloqueo que le permitirán desbloquear su iPad.

CAPTURAR LA PANTALLA

Puede capturar toda la pantalla de su iPad y enviarla a su aplicación Fotos. Esta funcionalidad le será útil si desea guardar como imagen lo que está viendo para utilizarlo más adelante.

1. Asegúrese de que la pantalla muestra lo que desea capturar. Para este ejemplo, vamos a utilizar la pantalla de inicio.

2. Mantenga pulsados al mismo tiempo el botón **Reposo/Activación** y el botón **Inicio**. La pantalla disparará un flash y se escuchará un sonido de disparo de obturador de cámara, a menos que tenga el volumen desactivado.

3. Acceda a la aplicación Fotos.

4. Pulse en el álbum **Carrete**. La última imagen de este álbum debería ser la captura de pantalla que acaba de hacer. Pulse sobre ella para abrirla.

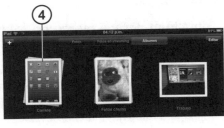

5. El ejemplo es una captura vertical de la pantalla de inicio, y puede que su aspecto le lleve a confusión. Coloque horizontalmente su iPad para verla mejor.

6. Pulse en el icono de la flecha que está dentro de un cuadro para enviar la foto por correo o utilizarla en otra aplicación. O bien, puede dejar la foto en un álbum de fotos guardadas para utilizarla más adelante.

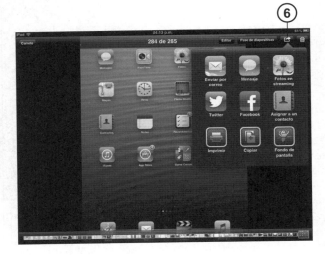

BORRAR FOTOS

Sólo puede borrar fotos del álbum Carrete (también llamado a veces "álbum de fotos guardadas") y sus Fotos en streaming.

1. Dentro de Fotos, acceda a la vista de Álbumes.

2. Pulse en Carrete.

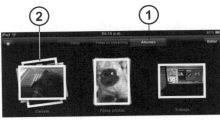

3. Pulse en una foto para visualizarla.

4. Pulse en el botón de la papelera.

5. Pulse en **Eliminar foto**.

6. Otra posibilidad es regresar al paso 2 y pulsar el botón **Editar**.

7. Pulse sobre varias fotos para seleccionarlas.

8. Pulse en **Eliminar** y, luego, pulse en **Eliminar selección**.

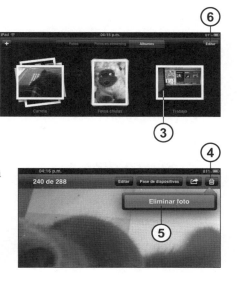

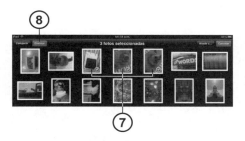

Entonces, ¿cómo puedo borrar las demás fotos?

El álbum Carrete es especial, pues contiene las fotos creadas con su iPad. El resto de los álbumes son sólo copias de las fotos sincronizadas desde su ordenador. No puede borrarlas desde su iPad del mismo modo que no puede borrar la música sincronizada con su iPad.

Para borrar estas fotos, regrese a iPhoto en su ordenador y elimínelas de todos los álbumes que tenga configurados para sincronizarse con su iPad. Acceda, además, a iTunes en su ordenador y asegúrese de que las opciones de sincronización de fotos (por ejemplo, sincronizar los últimos 12 meses) no copiarán esa foto.

Si entiende que el funcionamiento sus fotos es el mismo que el de su música, sabrá qué fotos están sincronizadas y por qué esto tiene más sentido así.

AJUSTAR FOTOS EN IPHOTO

Aunque la aplicación Fotos le ofrece la posibilidad de realizar ajustes básicos a sus fotos, la aplicación iPhoto va mucho más lejos. Esta aplicación, que deberá comprar en la App Store, le permite aplicar a sus fotos diversos filtros, ajustes y efectos especiales.

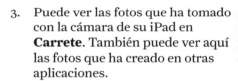

1. Una vez que haya comprado y descargado iPhoto, pulse en su icono para ejecutarla.

2. Primero deberá seleccionar una foto para editarla. Pulse en **Álbumes** para ver sus fotos agrupadas en los mismos álbumes que en la aplicación Fotos.

3. Puede ver las fotos que ha tomado con la cámara de su iPad en **Carrete**. También puede ver aquí las fotos que ha creado en otras aplicaciones.

4. Si ya ha editado alguna foto, verá el álbum Editadas. Puede acceder a él para seguir trabajando desde aquí.

5. Pulse en **Fotos** para ver una larga lista de todas las fotos de su iPad.

6. Pulse en un álbum para examinar las fotos que contiene.

7. En el centro de la pantalla verá una de las fotos del álbum. Ésa es la foto que está editando ahora mismo.

8. Pulse en el botón **Cuadrícula de miniaturas** para ver el resto de las fotos del álbum en la parte inferior y poder cambiar de una a otra.

9. Pulse en cualquier foto para cambiar a ella. También puede hacer un barrido con el dedo a izquierda o derecha para moverse por las fotos.

10. Pulse en el botón **Editar** para mostrar los controles de edición de fotos en la parte inferior de la pantalla.

11. Pulse en el botón **Ayuda** para mostrar las etiquetas de todos los botones y controles de iPhoto.

12. Pruebe el botón **Mejora automática** si desea dejar que su iPad se ocupe de ajustar el brillo, el contraste y realizar otras modificaciones que podrían mejorar el aspecto de la fotografía.

13. Pulse en el botón **Exposición** para mostrar los controles de brillo y contraste.

14. Arrastre el control del brillo a izquierda o derecha para ajustar el brillo general de la foto.

15. Arrastre los controles del contraste a izquierda o derecha para ajustar el contraste.

16. Arrastre el control de sombras para ajustar la exposición de las áreas oscuras de la foto.

17. Arrastre el control de la iluminación para ajustar la exposición de las áreas claras de la foto.

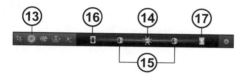

18. Pulse en el botón de ajuste del color.

19. Arrastre el control de la saturación a izquierda y derecha para modificar la saturación de la imagen y realzar el color de la foto o eliminarlo, dándole un aspecto cercano al de una foto en blanco y negro.

20. Ajusta los tonos azules de la foto.

21. Ajusta los tonos verdes de la foto.

22. Ajusta los tonos de piel de la foto.

23. Muestra un conjunto de controles de equilibrio de blancos.

Recortar, enderezar y rotar

Además de aplicar efectos y ajustes de color, también puede cortar y rotar sus fotos. El botón **Recortar y Estirar** se encuentra en la esquina inferior izquierda y le permite recortar los bordes y rotar la imagen. Además, el botón de rotación en 90 grados que hay en la parte inferior de la pantalla (una flecha junto a un rectángulo) le permite rotar rápidamente una imagen que no esté correctamente orientada.

UTILIZAR EFECTOS DE PINCEL EN LAS FOTOS DE IPHOTO

También puede realizar ajustes sobre partes de una foto en vez de sobre la imagen completa.

1. Pulse en el botón **Pinceles**.

2. Seleccione el pincel que desea utilizar.

3. Utilice su dedo para pintar manualmente el área a la que desea aplicar el efecto. Por ejemplo, podría reducir la saturación de casi todo lo que hay en esta foto.

4. Pulse en el botón deshacer para que la imagen vuelva a su estado anterior. Con este botón, podrá probar diversos pinceles y otros efectos sabiendo que puede deshacer los cambios fácilmente.

5. Pulse en el botón **Mostrar original** si desea comparar rápidamente la foto actual con la original sin deshacer los cambios.

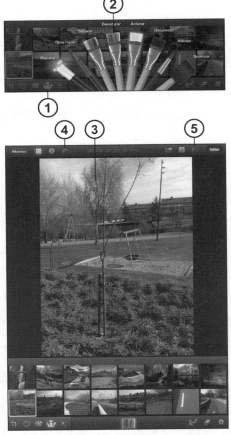

APLICAR EFECTOS ESPECIALES A LAS FOTOS DE IPHOTO

También puede aplicar varios filtros a la foto completa.

1. Pulse en el botón **Efectos**.

2. Seleccione uno de los grupos de efectos.

3. Pulse en una miniatura para probar ese efecto.

4. Utilice la funcionalidad deshacer para devolver la imagen a su estado original antes de probar otro.

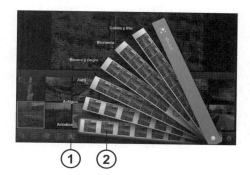

COMPARTIR FOTOS CON IPHOTO

Tanto si ha modificado la foto como si no, puede seguir utilizando iPhoto para compartir sus fotos de varias maneras con diferentes servicios y dispositivos.

1. Pulse el botón **Compartir** para mostrar la lista de opciones para compartir.

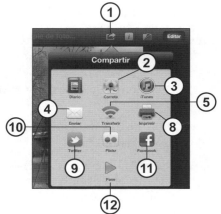

2. Pulse en **Carrete** para enviar la foto al Carrete de su iPad como una imagen nueva. Esto permitirá a sus otras aplicaciones acceder a la foto modificada y enviar la foto a su ordenador la próxima vez que sincronice sus fotos.

3. Pulse en **iTunes** para preparar la imagen para compartirla con su ordenador mediante la sincronización con iTunes. Encontrará más información sobre la sincronización de documentos en el capítulo 3.

4. Pulse en **Enviar** para crear un mensaje con las imágenes seleccionadas.

5. Pulse en **Transferir** para enviar la imagen por vía inalámbrica a otro dispositivo iOS.

6. Cuando seleccione **Transferir**, o casi cualquier otra del resto de las opciones para compartir, el siguiente paso será seleccionar las imágenes a enviar.

7. Cuando comparta una imagen con **Transferir**, deberá seleccionar el dispositivo iOS de destino. El otro dispositivo deberá estar en la misma red inalámbrica y utilizar la misma aplicación iOS iPhoto.

8. Puede enviar una foto a una impresora AirPrint. Encontrará más información sobre cómo imprimir desde su iPad en el capítulo 18.

9. Puede publicar una foto en la Web y enviar un tuit con un enlace a ésta.

10. Puede añadir la foto a su cuenta de Flickr.

11. También puede publicar la foto en Facebook.

12. Puede iniciar un pase de diapositivas con las fotos seleccionadas.

CREAR DIARIOS CON IPHOTO

También puede publicar fotos en la Web utilizando el servicio iCloud de Apple. La funcionalidad Diarios de iPhoto le permite crear páginas Web con una o varias fotos además de agregar información adicional, como textos y mapas.

Para empezar, lo mejor es seleccionar varias fotos. Una vez hecho esto, compartimos y utilizamos la función Diarios.

1. Pulse sobre el botón de las herramientas especiales.

2. Pulse en **Seleccionar varias**.

3. Seleccione varias fotos.

4. Pulse en **OK**.

5. Las fotos seleccionadas ahora aparecen en el centro de la pantalla.

6. Pulse en el botón **Compartir**.

7. Pulse en **Diario**.

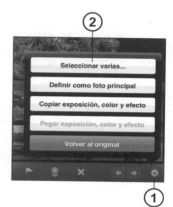

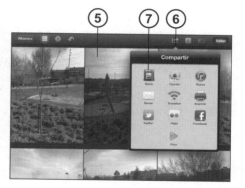

8. Pulse en Seleccionadas.

9. Introduzca un nombre para su nuevo diario.

10. Haga un barrido para recorrer los temas y escoger uno.

11. Pulse en **Crear diario**.

12. Pulse en **Mostrar**.

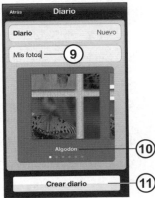

13. Las fotos se colocarán automáticamente en la página.

14. Pulse en **Editar** para mover o redimensionar las fotos y para agregar más contenidos a la página.

15. Puede arrastrar una imagen para moverla pulsando sobre ella y manteniendo la pulsación durante un segundo, moviéndola seguidamente después de que se "despegue" de la página. También puede arrastrar los puntos azules que hay alrededor de ella para redimensionarla. El resto de imágenes adaptarán su tamaño a este cambio.

16. También se puede borrar una fotografía.

17. Puede editar una foto utilizando los efectos y los filtros de iPhoto.

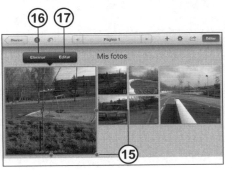

18. Pulse el botón +.

19. Puede añadir texto a su página con diversos formatos, como una nota adhesiva o una tira de papel. Los objetos de texto se pueden redimensionar y mover como las fotos.

20. Puede agregar un mapa a su página.

21. Puede agregar un gráfico con la fecha.

22. Puede agregar un gráfico con el tiempo.

23. Pulse en el botón **Página** para crear una segunda página. Los diarios pueden tener una o varias páginas.

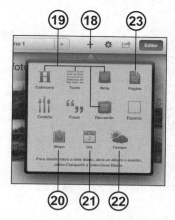

24. Pulse en el botón **Editar** para salir del modo edición. Sólo entonces el botón **Compartir** estará activo.

25. Pulse en **Compartir**.

26. Puede enviar el diario a su cuenta de iCloud. Esto creará una o varias páginas Web. Entonces podrá enviarles a sus amigos enlaces a estas páginas, y ellos podrán ver su diario.

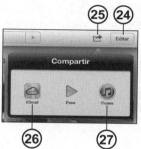

27. También puede guardar los archivos que componen las páginas Web del diario. De este modo, podría transferirlas a su PC o Mac utilizando iTunes. Consulte el capítulo 3 para obtener más información sobre la sincronización de documentos. Esto está pensado para personas que tengan su propio sitio Web y sepan cómo manipular los archivos del servidor.

Acabamos de realizar una panorámica básica de los diarios que le permitirá empezar a trabajar con esta completa y creativa herramienta. Cuando haya creado su primer diario, lo verá aparecer su nuevo álbum en iPhoto. Podrá volver en cualquier momento a uno que haya creado para modificarlo. Al compartirlo de nuevo en iCloud, se actualizará.

Para sacar el máximo rendimiento a la funcionalidad Diarios de iPhoto, lo mejor es que explore por su cuenta. Utilice algunas de sus fotos favoritas y pruebe con diferentes tamaños y posiciones para cada una. Pruebe a añadir todos los elementos especiales, como los mapas y las notas. Cuando que llegue a conocer esta herramienta, será capaz de crear rápidamente divertidas e interesantes páginas Web para mostrarle sus fotos a sus amigos.

Objetivos:

En este capítulo utilizaremos las aplicaciones Camara, Photo Booth e iMovie para filmar y editar vídeos con su iPad. También utilizaremos la aplicación FaceTime para realizar una videollamada.

Filmar vídeo.

Cortar clips de vídeo.

Combinar películas en iMovie.

Editar transiciones en iMovie.

Añadir fotos a su vídeo de iMovie.

Añadir títulos a los vídeos de iMovie.

Configurar FaceTime.

Realizar videollamadas con FaceTime.

Recibir videollamadas con FaceTime.

10. Grabar vídeos

Puede grabar vídeos utilizando una de las dos cámaras de su iPad. La aplicación principal para esto es la aplicación Cámara.

Además, puede editar vídeos con iMovie, una aplicación que puede adquirir en la App Store y que le permite combinar clips y agregar transiciones, títulos y sonidos.

Las cámaras de su iPad también se pueden utilizar para hacer chat de vídeo con alguien que esté en otro iPad, un iPhone, un iPod Touch o un Mac que utilice la aplicación FaceTime.

FILMAR VÍDEO

Si sólo quiere grabar con las cámaras algo que está ocurriendo, puede utilizar la aplicación Cámara.

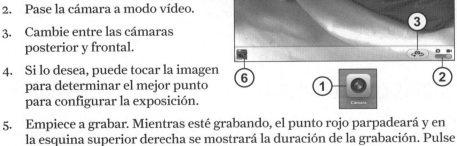

1. Inicie la aplicación Cámara.

2. Pase la cámara a modo vídeo.

3. Cambie entre las cámaras posterior y frontal.

4. Si lo desea, puede tocar la imagen para determinar el mejor punto para configurar la exposición.

5. Empiece a grabar. Mientras esté grabando, el punto rojo parpadeará y en la esquina superior derecha se mostrará la duración de la grabación. Pulse en el mismo botón para dejar de grabar.

6. Pulse en la imagen de la esquina inferior izquierda para ver su vídeo cuando haya terminado.

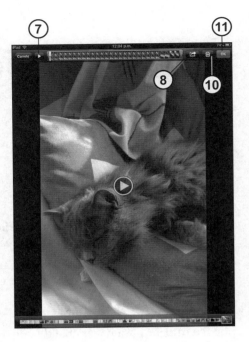

7. Ahora está en el Carrete, el mismo sitio que comentamos en el capítulo 9 cuando hicimos las fotografías. Pero cuando se tiene un vídeo en vez de una foto, la interfaz presenta un aspecto diferente. Pulse el botón de reproducción para ver el vídeo.

8. Pulse la flecha que sale de un cuadro para enviar el vídeo por correo electrónico mediante un mensaje de texto o subirlo a su cuenta de YouTube.

9. Pulse el botón AirPlay para difundir el vídeo por Apple TV u otro dispositivo AirPlay.

10. Pulse en el icono de la papelera para borrar el vídeo.

11. Cuando haya acabado de ver el vídeo, pulse en **OK** para filmar otro.

Los envíos por correo comprimen los vídeos

Los vídeos tomados con la cámara posterior se graban en 1920x1080 pero cuando se envían por correo se comprimen con un tamaño mucho menor (536x320 en el caso de los iPad de 3ª generación). De este modo, se evita el envío de un archivo de vídeo enorme con la repercusión que ello tendría para su ancho de banda y el del destinatario. Pese a esto, no utilice el correo electrónico para guardar los vídeos en su ordenador; es mejor que sincronice y transfiera como hace con las fotos.

CORTAR CLIPS DE VÍDEO

Cuando esté viendo un vídeo en el Carrete, también puede cortarlo para eliminar la parte del metraje que considere innecesaria, siempre que se encuentre al comienzo o al final del vídeo.

1. Puede acceder al Carrete desde la aplicación Fotos o desde la aplicación Cámara. Por ejemplo, inicie Cámara y pulse, a continuación, en la imagen de la parte inferior izquierda de la pantalla.

2. Si está visualizando un vídeo, verá una línea temporal de fotogramas en la parte superior de la pantalla.

3. Arrastre el lado izquierdo de la línea de tiempo hasta la izquierda para cortar el comienzo del vídeo.

4. Arrastre el lado derecho de la línea de tiempo hacia la derecha para cortar el final del vídeo.

5. Pulse en el botón **Cortar**.

6. Pulse en **Cortar original** para sustituir el vídeo por la versión cortada.

7. Pulse en **Guardar como vídeo nuevo** para conservar el original y guardar también la versión cortada como un clip independiente.

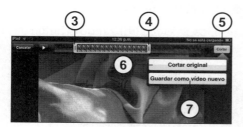

COMBINAR PELÍCULAS EN IMOVIE

La funcionalidad que corta las películas en las aplicaciones Cámara y Fotos le ofrece la posibilidad de realizar una edición de vídeo básica (si adquiere la aplicación iMovie de Apple, podrá disponer de muchas más opciones). Aunque no se trata de un editor con todas y cada una de las funcionalidades que podría tener en su ordenador, le permitirá combinar películas, añadir títulos y transiciones y producir un breve vídeo de sus clips.

1. Inicie la aplicación iMovie. Gire su iPad para ver la pantalla horizontalmente. iMovie es un poco más fácil de utilizar en esta orientación.

2. Para crear un nuevo proyecto, pulse en el botón + y luego en **Proyecto nuevo**.

3. Puede añadir un vídeo a su proyecto pulsando sobre uno de los clips del lado izquierdo y pulsando después en la flecha azul que apunta hacia abajo para colocarlo en la línea temporal inferior.

4. También puede grabar nuevos clips de vídeo utilizando el botón de la cámara del lado derecho.

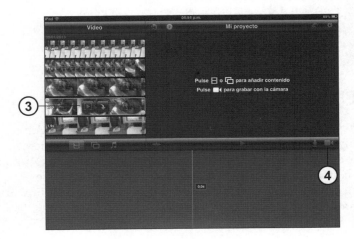

5. Siga agregando clips. Se irán añadiendo al final del proyecto.

6. La línea roja indica la posición actual del vídeo.

7. El área de previsualización le muestra la imagen de la posición actual.

8. Puede arrastrar la línea temporal del proyecto a izquierda o derecha para desplazarse por ella.

9. Puede pellizcar en ambos sentidos para reducir o aumentar la imagen.

10. Pulse el botón de reproducción para reproducir el vídeo en el área de previsualización. Si la línea roja se encuentra al final del vídeo, saltará de nuevo al comienzo.

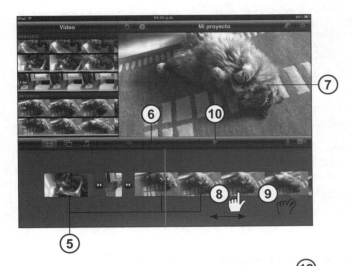

11. Pulse sobre un clip y mantenga la pulsación para poder arrastrarlo a una parte diferente de la línea temporal del proyecto.

12. Pulse en el botón **Mis proyectos** cuando haya acabado de editar el vídeo. No hace falta que "guarde" su proyecto; el estado actual del proyecto se guarda siempre.

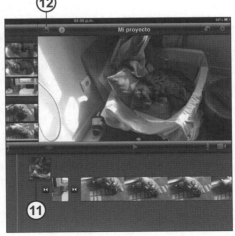

13. Pulse sobre el nombre del proyecto en la marquesina del teatro para cambiar el nombre.

14. Pulse en el botón de reproducción para ver el proyecto terminado.

15. Pulse el botón exportar para enviar el vídeo a su Carrete, exportarlo a iTunes la próxima vez que sincronice o subirlo a uno de los sitios de vídeos de Internet que aparecen en la lista.

¿Cuál es el mejor modo para compartir algo con amigos?

Aunque enviar por correo un vídeo a sus amigos pueda parecerle una buena idea, recuerde que los archivos de vídeo suelen ser muy grandes. Aunque disponga de ancho de banda para subirlo, sus amigos también necesitarán del ancho de banda para bajarlo. Puede que algunos tengan restricciones en el tamaño de los archivos adjuntos en su correo electrónico.

Por tanto, para todos los interesados, las opciones para compartir vídeos de iMovie son las mejores. Puede subirlos a su cuenta de Facebook o YouTube e incluso configurar el vídeo para que sea privado o no aparezca en los listados. Hecho esto, bastará con que informe a sus amigos enviándoles un correo con el enlace, sin necesidad de adjuntar un archivo enorme.

EDITAR TRANSICIONES EN IMOVIE

Separando cada uno de los clips de su proyecto de iMovie hay una transición. Puede escoger entre el corte del director (sin transiciones), una transición de fundido cruzado o una transición en base a un tema especial. Pero lo primero es seleccionar un nombre.

1. Abra el proyecto que ha creado en el ejemplo anterior.

2. Pulse en el botón de ajustes de la esquina superior derecha para seleccionar un tema.

3. Desplácese por los temas y escoja uno.

4. Haga una pulsación doble en uno de los botones de transición que hay entre los clips. Esto debería mostrar el menú Ajustes de la transición.

5. Escoja Ninguna si quiere que un clip empiece justo a continuación del otro.

6. Escoja Disolución si quiere que un clip se funda con el otro.

7. Escoja Tema para utilizar la transición especial por temas, que puede variar dependiendo del tema escogido.

8. Escoja una duración para la transición.

9. Pulse en los triángulos que hay bajo el botón de la transición para expandirla y verla en un editor más preciso.

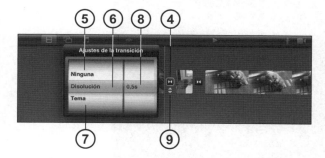

¿Puedo previsualizar las transiciones?

Lamentablemente, en iMovie para iPad no se pueden previsualizar las transiciones. Lo único que puede hacer es aplicar un tema y observar luego cómo se ven las transiciones. Además, el tema se aplica a todo el proyecto, por lo que no se pueden mezclar o combinar transiciones. iMovie para iPad no le proporciona mucho control sobre los detalles. Es más bien para personas que quieren crear un vídeo con buena pinta rápidamente, sin entretenerse en ajustar detalles.

10. Mueva el área de la transición para seleccionar cómo desea que se solapen los dos clips durante la transición.

11. Pulse en los triángulos para salir de este modo de edición más preciso.

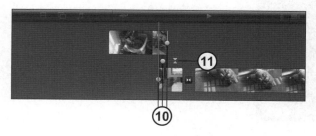

AÑADIR FOTOS A SU VÍDEO DE IMOVIE

También puede añadir fotos de su Carrete o cualquier otro álbum a su iPad. Puede limitarse a utilizar una serie de fotos en un vídeo, o mezclar fotos y videoclips.

1. Siguiendo con el ejemplo anterior, desplace la línea temporal totalmente a la izquierda.

2. Pulse en el botón **Fotos**.

3. Pulse sobre el nombre del álbum que contiene su foto.

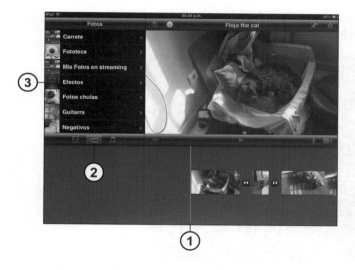

Imágenes en proyectos

Las fotos de los proyectos de iMovie no están inactivas: se mueven. Por ejemplo, la imagen podría empezar ocupando toda la pantalla e ir haciendo lentamente un zoom sobre un punto concreto. O bien, podría empezar a verse por la parte superior izquierda e irse desplazando hasta la inferior derecha. Puede controlar dónde se inicia el movimiento y dónde acaba.

Qué se puede hacer con las fotos

Puede incluso crear un vídeo que no tenga fotos. Por ejemplo, podría utilizar uno de los programas de dibujo mencionados en el capítulo 16, como SketchBook Pro, Brushes, ArtStudio o Adobe Ideas, para crear imágenes con textos y dibujos. Cree una serie para ilustrar una idea o historia, y luego únalas como una serie de fotografías en un proyecto de iMovie. Añada música y una voz superpuesta para hacerlo más interesante.

4. Pulse sobre la foto que desea utilizar.

5. La foto se mostrará ahora en la línea temporal, en la posición actual. Pulse sobre ella para seleccionarla.

6. Pulse y arrastre los puntos amarillos para cambiar la duración de la foto en la línea temporal. Comienza con un retraso de 5 segundos pero se podría aumentar a 10, por ejemplo.

7. Pulse el botón **Inicio** que hay en el área de previsualización. Después, ajuste la foto pellizcando para hacer zoom y arrastrando hasta dejarla como desea. Por ejemplo, puede pellizcar sobre la foto para que se ajuste al marco.

8. Pulse en el botón **Fin** de la parte superior derecha para establecer la posición final de la imagen. Por ejemplo, haga una pinza a la inversa para hacer zoom sobre un área específica.

9. Pulse en **OK** cuando haya acabado de ajustar las posiciones inicial y final.

10. Deslice la línea temporal hacia atrás para previsualizar cómo se ve el movimiento en la película.

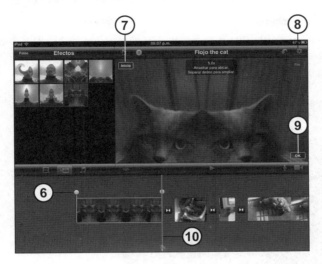

Puede seguir agregando fotos del mismo modo que agregaría clips de vídeo. Añada tantas como desee. Incluso puede crear un pase de diapositivas compuesto sólo por fotos sin llegar a filmar un sólo segundo de vídeo.

Música y voces en off

En iMovie también puede hacer muchas cosas con el audio. Puede añadir al vídeo cualquier canción de la colección de iTunes de su iPad como banda sonora. También incluye varias pistas musicales que puede utilizar.

También puede añadir del mismo modo efectos de sonido de una colección. Sin embargo, los efectos de sonido pueden aparecer en cualquier punto de la película mientras que la música abarca el vídeo al completo.

También puede grabar una voz en off para hacer una narración del vídeo. Esto significa que puede tener cuatro pistas de sonido: el audio que va asociado al vídeo, la música de fondo, los efectos de sonido y la voz en off.

Para aprender a utilizar todas las funcionalidades adicionales de iMovie, busque el botón de ayuda de la esquina inferior izquierda de la pantalla de proyectos, con el que accederá a una documentación completa de la aplicación.

AÑADIR TÍTULOS A LOS VÍDEOS DE IMOVIE

También puede añadir títulos superpuestos a los clips o las fotos de iMovie. Como en el caso de las transiciones, el estilo de los títulos dependerá del tema que utilice.

1. Siga utilizando el ejemplo que hemos creado. Haga una pulsación doble en el clip para seleccionarlo y mostrar el menú Ajustes.

2. Pulse en Estilo.

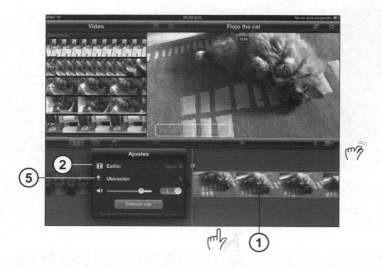

3. Escoja el estilo del título. Cuando lo haga, se mostrará una vista previa en el área de previsualización.

4. Pulse en el área del campo de texto de la previsualización para mostrar el teclado e introducir el texto.

5. Algunos tipos de título muestran un mapa o tienen un espacio en el que se muestra la ubicación. Pulse en Ubicación para introducir un nombre para la ubicación.

CONFIGURAR FACETIME

Otro de los principales usos de las cámaras de vídeo es FaceTime. Es la aplicación del servicio de videollamadas de Apple. Puede realizar videollamadas telefónicas entre cualquier dispositivo que tenga FaceTime, incluyendo iPhones recientes, iPod touches, iPads y Macs. Como el número de personas con FaceTime cada vez es mayor, esta aplicación le será cada vez más útil.

Lo único que necesita para hacer una llamada con FaceTime es una cuenta gratuita. Puede utilizar el ID de su cuenta de Apple o crearse una nueva. También puede asignarle una dirección de correo electrónico alternativa para utilizarla como "número de teléfono" de Facetime con el que la gente podrá ponerse en contacto con usted.

1. Inicie la aplicación Ajustes.

2. Pulse sobre FaceTime en el lado izquierdo.

3. Active FaceTime si no está activo.

4. FaceTime necesita un ID de Apple aunque no tenga pensado utilizar la misma dirección de correo en las llamadas de FaceTime. Si no ha utilizado esta aplicación antes, se le pedirá que introduzca su ID de Apple y su contraseña.

5. Esta lista contiene las direcciones de correo que los demás pueden utilizar para ponerse en contacto con usted llamándole con FaceTime. Por defecto, aquí aparecerá el correo de su ID de Apple pero puede agregar otra diferente e incluso eliminar la dirección de su ID de Apple si no desea utilizarla nunca en FaceTime.

6. La Identificación de llamada es la dirección de correo que se utiliza por defecto para realizar llamadas con FaceTime. Es lo que verán los demás cuando les llame.

   Al utilizar direcciones de correo diferentes en los distintos dispositivos con iOS, puede especificar más fácilmente a qué dispositivo llama. Por ejemplo, si tanto usted como su esposa tienen iPhones y comparten un iPad, puede asignarle al iPad un correo diferente (por ejemplo, una cuenta de correo gratuita). De este modo, puede especificar a qué dispositivo desea llamar.

   Recuerde que necesitará seguir conectado a Internet a través de una Wi-Fi. En la actualidad, las compañías de móviles no soportan FaceTime en sus redes 3G o 4G aunque hay rumores de que podrían hacerlo en un futuro próximo; probablemente con un coste añadido.

REALIZAR VIDEOLLAMADAS CON FACETIME

Una vez configurada su cuenta de FaceTime, ya puede realizar y recibir llamadas.

1. Inicie la aplicación FaceTime.

2. Seleccione un contacto de su lista. Si no se muestra su lista de contactos, pulse en el botón **Contactos** de la parte inferior derecha de la pantalla.

3. Otra posibilidad es añadir un nuevo contacto. Necesitará conocer el número de teléfono de su iPhone 4 o la dirección de correo que utilizó cuando creó su cuenta de FaceTime.

4. Pulse en el número de teléfono o la dirección de correo electrónico para iniciar la llamada por FaceTime.

5. Espere hasta que se produzca la llamada. Escuchará un timbre. Puede pulsar el botón **Finalizar** para cancelar la llamada.

6. Cuando la otra parte responda a la llamada, verá su imagen ocupando toda la pantalla y su imagen en la parte superior derecha. Puede arrastrar su imagen hasta cualquiera de las cuatro esquinas.

7. Pulse sobre este botón para silenciar su micrófono.

8. Pulse en el botón conmutador de cámaras para mostrar la vista de la cámara posterior.

9. Pulse en **Finalizar** para finalizar la llamada.

RECIBIR VIDEOLLAMADAS CON FACETIME

Cuando tenga configurada su cuenta de FaceTime, también podrá recibir llamadas. Asegúrese de haber configurado FaceTime siguiendo los pasos de la tarea anteriormente descrita en este capítulo. Hecho eso, es sólo cuestión de esperar que le llame un amigo utilizando FaceTime.

1. Si no está utilizando su iPad actualmente, el sonido de la llamada será el seleccionado en Ajustes>Sonidos>Tono de llamada. Cuando coja su iPad, verá algo similar a la pantalla de bloqueo pero con la imagen captada por su cámara (para que sepa si está lo bastante presentable como para pasar al chat de vídeo) y el nombre de la persona que llama en la parte superior.

2. Deslice el botón **Contestar** hacia la derecha para activar su iPad y acceder directamente a la llamada. Si está utilizando su iPad en el momento en el que recibe la llamada, se abrirá FaceTime y verá una pantalla con dos botones. La pantalla seguirá mostrando la imagen de su cámara y el nombre de la persona que llama.

3. Cuando empiece la conversación, podrá silenciar su micrófono.

4. Puede cambiar a la cámara posterior.

5. Pulse en **Finalizar** para terminar la llamada.

Ring ring

Recuerde que puede configurar su tono de llamada en la aplicación Ajustes, dentro de Sonidos. Incluso puede configurar el volumen de las llamadas de modo que no se vean afectadas por los controles de volumen de su iPad. Así no se perderá ninguna llamada pese a haber bajado el volumen.

¿Y si no funciona?

FaceTime está concebido como algo sencillo: simplemente funciona. Excepto cuando no lo hace. No dispone de ajustes de red que se puedan manipular, por lo que el problema suele estar en los routers Wi-Fi que hay en cada lado de la llamada. La configuración de seguridad del módem o del router podría interferir en la llamada. Consulte este documento del sitio de Apple que contiene información para la resolución de problemas con FaceTime: http://support.apple.com/kb/ht4319.

Objetivos:

En este capítulo empezaremos a sacar trabajo adelante con el iPad utilizando Pages para crear documentos y darles formato.

Crear un documento nuevo.

Asignar estilos a los textos.

Reutilizar estilos.

Dar formato al texto.

Crear listas.

Estructuras de columna.

Insertar imágenes.

Utilizar formas en los documentos.

Crear tablas.

Crear gráficas.

Configuración del documento.

Compartir e imprimir documentos.

11. Escribir con Pages

Hasta ahora, la mayor parte del tiempo hemos estado viendo modos de consumir contenidos: música, vídeos, libros, fotos, etc. Los tres siguientes capítulos tratan sobre la suite de aplicaciones iWork: Pages, Numbers y Keynote.

Comenzaremos por Pages, el procesador de textos que le permite utilizar una cantidad considerable de estructuras y diseños. Pages no viene instalada en su iPad; deberá adquirirla en la App Store y descargarla.

CREAR UN DOCUMENTO NUEVO

Vamos a empezar por lo sencillo. Lo más básico que se puede hacer con Pages es crear un documento nuevo e introducir algo de texto.

1. Pulse el icono de la aplicación **Pages** de la pantalla de inicio.

2. Si esta es la primera vez que ejecuta Pages, recorrerá una serie de pantallas que le dan la bienvenida a la aplicación y le preguntan si desea configurar iCloud como espacio de almacenamiento para los documentos de Pages. Por último, le preguntará si desea crear un documento nuevo o aprender más sobre el uso de la aplicación.

iCloud para iWork

Pages, Numbers y Keynote pueden almacenar sus archivos en el servicio iCloud de Apple en vez de en su iPad. Éste es el comportamiento por defecto, siempre que tenga iCloud configurado en su iPad y le haya dado permiso a estas tres aplicaciones para utilizarlo. Si sólo utiliza un iPad, no notará mucho la diferencia aunque puede que encuentre tranquilizador saber que, mientras trabaja, se está haciendo una copia de seguridad en los servidores de Apple. Y si dispone de un segundo dispositivo con iCloud, como un iPhone o un iMac, verá también allí estos documentos. Por ejemplo, los documentos de Pages de su iPad aparecerán en Pages para Mac. Tambien puede acceder a ellos desde el sitio Web de iCloud. Consulte el capítulo 3 para ver cómo puede sincronizar utilizando iCloud.

3. Si esta no es la primera vez que ejecuta Pages, pulse el botón + de la esquina superior izquierda de la pantalla para abrir un documento nuevo.

4. Pulse en **Crear documento**.

5. Se mostrarán las opciones de plantilla. Puede desplazarse verticalmente para ver más. Pulse en la plantilla **En blanco** para pasar a la vista de edición principal.

6. Escriba algún texto de prueba en el documento, sólo para ver cómo se introduce el texto.

7. Pulse **Documentos** para volver a su lista de documentos.

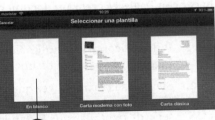

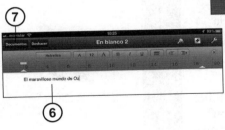

8. Esta vista le muestra todos sus documentos. Si todavía no ha creado ninguno, ahora mismo debería tener dos documentos: el que acaba de crear y el de ejemplo.

9. Pulse en un documento para abrirlo.

10. Pulse en **Editar** para seleccionar documentos y poder borrarlos.

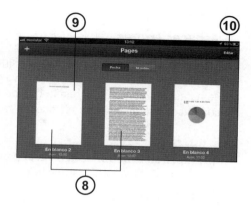

Un teclado real

Si tiene pensado utilizar Pages en su iPad con frecuencia, lo mejor sería que invirtiese en un teclado físico para su iPad. Puede utilizar el teclado Apple Wireless o casi cualquier teclado Bluetooth. Apple también posee una versión del iPad dock que incluye un teclado. Encontrará más información en el capítulo 18.

ASIGNAR ESTILOS A LOS TEXTOS

Vamos a ver ahora cómo asignar estilos a los textos. Puede cambiar la fuente, el estilo y el tamaño.

1. En un documento abierto, haga una pulsación doble en una palabra para seleccionarla.

2. Tire de los puntos azules para seleccionar el área a la que desea aplicar los estilos.

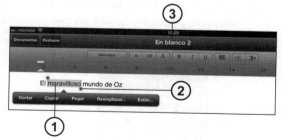

3. Utilice los botones de la barra de herramientas para formatear su texto en negrita o cursiva, o para subrayarlo.

Deshacer errores

En la parte superior de la pantalla de Pages hay un botón **Deshacer**. Utilícelo para deshacer la última acción que haya realizado, tanto si se trata de un texto que ha escrito como de un estilo que ha cambiado. Puede utilizar esta opción varias veces seguidas para retroceder varios pasos.

4. Pulse en el botón de la brocha para mostrar el menú Estilo/Lista/Disposición.

5. Pulse en Estilo.

6. Pulse en los botones **B**, **I** y U para dar formato al texto. Pulse en los botones por segunda vez si desea que el texto vuelva a estar sin formato. El cuarto botón, **S**, hace que el texto parezca tachado.

7. Pulse sobre el tamaño y el nombre de la fuente.

8. Indique el tamaño, el color y el tipo de la fuente. Pulse sobre las mitades superior e inferior del indicador del tamaño de la fuente para aumentar o reducir éste.

9. Pulse en el botón del color para acceder a una selección de colores.

10. Pulse en un color o haga un barrido hacia la izquierda para ver la página que contiene las opciones de la escala de grises.

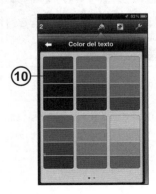

11. La muestra negra contiene una marca de verificación que le indica que es el color actual del texto. Haga un barrido a izquierda o derecha para volver a la primera página de colores y escoger uno diferente, como por ejemplo el rojo.

12. Pulse en la flecha que apunta hacia la izquierda que hay sobre los colores para regresar al menú Opciones de texto.

13. Pulse en Tipo de letra.

14. Arrastre la lista de fuentes arriba y abajo para verlas todas.

15. Pulse sobre una fuente para cambiar la del texto seleccionado.

16. Pulse en el botón azul si se muestra a la derecha de una fuente para ver las variaciones de ésta.

17. Pulse fuera del menú para cerrarlo y volver a la edición del texto.

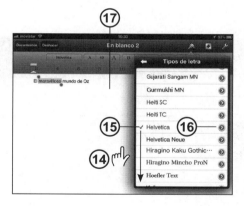

Imprimir páginas

Puede imprimir un documento desde Pages, Numbers o Keynote si tiene una de las impresoras compatibles con la tecnología AirPrint de Apple agregada a su iPad. Pulse en el botón con forma de llave mecánica de la esquina superior derecha y luego pulse **Imprimir**. Se le pedirá que seleccione una impresora, un rango de páginas y un número de copias. Hablaremos sobre cómo imprimir desde el iPad en el capítulo 18.

Estilos de párrafo

Hay muchos estilos predefinidos que se pueden aplicar a un párrafo completo, como título, subtítulo, encabezado, cuerpo, etc. Seleccione uno de ellas para aplicar ese estilo predefinido a todo el párrafo, no sólo al texto seleccionado.

REUTILIZAR ESTILOS

Entonces, ¿qué ocurre entonces si define la fuente, el estilo y el tamaño de algo en Pages y desea utilizarlo de nuevo en otro fragmento de texto? Sólo tiene que copiar el estilo de un fragmento de texto y pegarlo en los demás.

1. Seleccione un poco de texto.

2. Pulse en Estilo.

3. Pulse en **Copiar estilo**.

4. Seleccione un fragmento de texto al que quiera aplicar este estilo.

5. Repita los pasos 2 y 3 para mostrar el botón **Copiar estilo** y **Pegar estilo** y, luego, pegue el estilo.

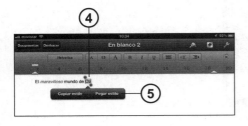

DAR FORMATO AL TEXTO

El siguiente paso es aprender a dar formato al texto y a alinearlo. La mayor parte de este tipo de tareas se hace desde las barras de herramientas de la parte superior de la pantalla de Pages en modo vertical.

1. Siga trabajando con el documento de ejemplo o bien cree uno nuevo y añádale algo de texto.

2. Pulse en el texto para que el cursor se sitúe en algún punto del párrafo al que desea darle formato.

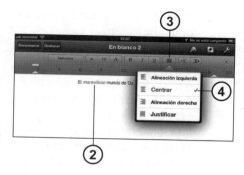

3. Pulse en el botón de alineamiento de la parte superior.

4. Pulse en el botón de alineamiento centrado del menú. Puede utilizar los demás botones del conjunto para alinear a la izquierda, a la derecha o justificar el texto.

5. Pulse sobre el final de la línea para colocar el cursor ahí.

6. Pulse en la tecla **Intro** del teclado en pantalla para pasar a la línea siguiente.

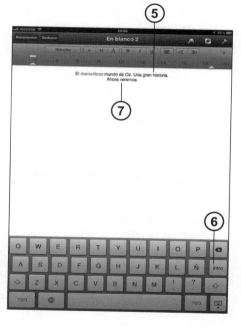

7. Escriba un texto de prueba, basta con un par de palabras.

8. Pulse de nuevo sobre el botón de alineamiento.

9. Pulse en Alineación izquierda en el menú desplegable.

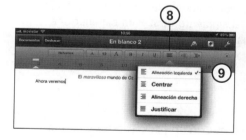

10. Haga una pulsación doble al final del texto para mostrar los botones **Seleccionar**, **Seleccionar todo**, y **Pegar**.

11. Pulse Insertar para escoger el elemento a insertar.

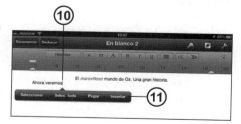

12. Pulse en Tabulación para insertar una tabulación.

13. Escriba otra palabra de ejemplo. Como la nueva línea de texto ha heredado el formato subrayado de la línea anterior, podemos ver claramente el espacio adicional que se ha insertado entre las palabras debido a la tabulación. No hemos añadido aún ninguna marca de tabulación al documento, por lo que se utiliza la posición por defecto.

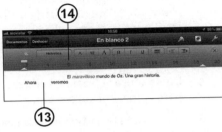

14. Pulse sobre la regla cerca del 2 para insertar una marca de tabulación, que desplazará a la segunda palabra para que coincida con la posición horizontal de esta marca. Puede pulsar sobre las marcas existentes y arrastrarlas para cambiarlas de posición.

Más opciones de tabulación

Si le gustan las tabulaciones, se alegrará de saber que puede crear tabulaciones centradas, tabulaciones en el lado derecho y tabulaciones con puntos, igual que en un procesador de textos tradicional. Sólo tiene que hacer una pulsación doble sobre la regla para que ésta cambie al siguiente tipo. Para eliminar una tabulación, pulse sobre ésta y arrástrela hacia abajo para separarla de la regla.

CREAR LISTAS

En Pages puede crear listas fácilmente igual que en un procesador de textos tradicional.

1. Cree un documento nuevo en Pages utilizando la plantilla En blanco.

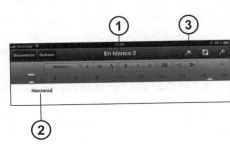

2. Escriba una palabra que pueda ser el primer elemento de una lista. No pulse **Intro**.

3. Pulse en el botón de la brocha de la barra de herramientas.

4. Pulse en Lista.

5. Pulse en la opción Viñeta para convertir el texto que acaba de escribir en el primer elemento de una lista de viñetas.

6. Utilice el teclado en pantalla para pulsar **Intro** y escribir algunas líneas más. Al pulsar **Intro** siempre se crea una línea nueva en la lista. Si lo pulsa por segunda vez, finalizará el formato de la lista.

7. Seleccione la lista completa.

8. Pulse el botón de la brocha.

9. Pulse en Número para cambiar la lista por una lista numerada.

10. Pulse sobre una de las líneas de la lista.

11. Pulse de nuevo sobre la brocha.

12. Pulse la flecha que apunta hacia la derecha en el menú Lista para sangrar la línea y crear una sublista. Puede crear las sublistas mientras escribe o bien seleccionar líneas y utilizar los botones de las flechas para darles formato después de haberlas escrito.

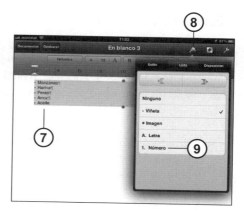

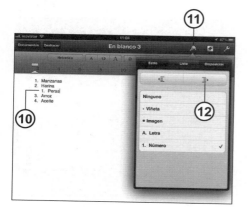

ESTRUCTURAS DE COLUMNA

Pages le permite ir más allá de la aburrida estructura de una sóla columna.
Incluso puede cambiar el número de columnas en cada párrafo.

1. Inicie un nuevo documento y rellénelo con texto; puede copiarlo y pegarlo
   de un artículo de Internet, por ejemplo. Si abre un documento, pulse en su
   interior para editarlo y poder ver
   el teclado en la parte inferior.

2. Pulse en el botón de la brocha.

3. Pulse en Disposición.

4. Pulse en el botón + que hay
   junto a las columnas para añadir
   una columna, de modo que el
   documento pase a tener una
   estructura de 2 columnas. Siga
   pulsando en el botón + para
   agregar más columnas.

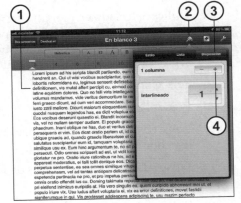

Espacio entre líneas

El menú Disposición incluye duplicados de los botones de alineamiento y
el parámetro Interlineado. Puede modificar el espaciado de las líneas en
incrementos del 25 por 100. Los cambios afectan al texto del párrafo en el que
se encuentra el cursor o al texto de todos los párrafos seleccionados.

5. Pulse en el botón - para reducir el
   número de columnas hasta volver
   al formato de 1 columna.

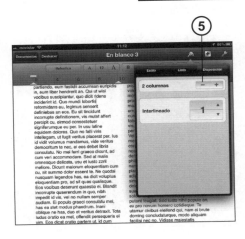

Utilizar distintos formatos de columna

Puede seleccionar sólo un párrafo y aplicarle una estructura de dos columnas para dejar el resto del documento en un formato de una columna. No obstante, tenga presente que pasar de una columna a varias en el mismo documento puede derivar en resultados impredecibles. Proceda con cautela.

INSERTAR IMÁGENES

Puede insertar imágenes en sus documentos de Pages, e incluso hacer que el texto las rodee.

1. Abra un documento nuevo y llénelo de texto.

2. Coloque el cursor en algún punto del texto, como por ejemplo al comienzo del segundo párrafo.

3. Pulse el botón +.

4. Pulse en Multimedia.

5. Seleccione una foto de un álbum de fotos.

6. La foto se insertará en el documento en la posición del cursor. Pulse sobre ésta para cerrar el menú.

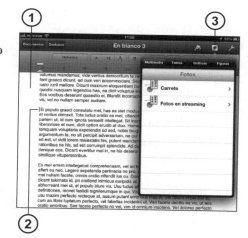

7. Puede pulsar en la imagen y utilizar Cortar, Copiar, Eliminar y Reemplezar sobre la foto cuando esté seleccionada. Esta última opción vuelve a mostrar el menú de fotos para que pueda seleccionar otra.

8. Arrastre los puntos azules que rodean la foto para redimensionarla.

9. Mientras esté cambiando las dimensiones de la foto, al lado de ésta se mostrarán las medidas.

10. Pulse en el botón de la brocha para mostrar el menú Estilo y Disposic..

11. Pulse en Disposic. para ver las opciones para rotar una foto, moverla delante o detrás de otros elementos de la página, o editar la máscara de la foto.

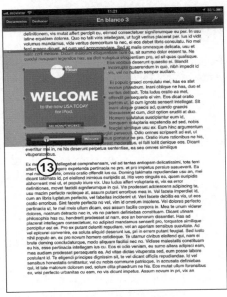

12. Pulse **Editar máscara**.

13. Arrastre el deslizador para redimensionar la foto. La foto cambiará su tamaño pero el tamaño del objeto seguirá siendo el mismo, lo que le permitirá centrarse en una parte concreta de la foto moviéndola por dentro del espacio. Pulse en **Máscara** para finalizar.

14. Pulse en el icono de la brocha para abrir de nuevo el menú Estilo y Disposic.. Pulse en Ajustar. Utilice este menú para designar cómo rodeará el texto la foto y si la foto debería permanecer en la página o desplazarse según vaya insertando texto.

15. Pulse en Estilo.

16. Escoja el tipo de borde que desea mostrar alrededor de la foto. Aunque puede escoger entre seis estilos básicos, también puede elegir sus propios bordes y efectos pulsando en Opciones de estilo.

Reorganizar las imágenes

Una vez colocada una imagen en su documento, puede moverla y redimensionarla cuanto desee. Pages acopla automáticamente los bordes de la imagen a los márgenes y centra las líneas de la página conforme va arrastrándola.

Importar imágenes prediseñadas

He descubierto que el mejor modo de insertar imágenes prediseñadas en el iPad y en Pages es arrastrarlas hasta iPhoto. Después, creo un evento Clipart en el que guardaré los archivos. Luego sincronizo mi iPad asegurándome de que el evento ClipArt está configurado para sincronizarse. Esto puede hacerlo incluso con una carpeta si no utiliza iPhoto o trabaja con Windows.

UTILIZAR FORMAS EN LOS DOCUMENTOS

Además de las imágenes prediseñadas, en Pages también puede utilizar algunas formas básicas que se insertan de la misma manera.

1. Cree un documento nuevo y añada algo de texto.

2. Pulse en el botón + para mostrar el menú Multimedia/Tablas/Gráficas/Figuras.

3. Pulse en el botón **Figuras**.

4. Pulse en una forma, como el rectángulo redondeado, por ejemplo. Se situará en el centro del texto.

5. Pulse en la forma del texto para cerrar el menú.

6. Utilice los puntos azules para redimensionar la forma.

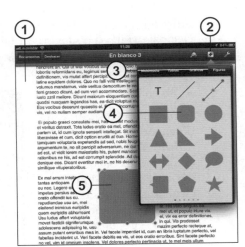

7. Pulse en el centro de la forma y arrástrela para moverla por el documento.

8. Haga una pulsación doble sobre la forma para introducir texto en ella.

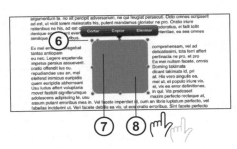

CREAR TABLAS

Las tablas suponen el siguiente paso con respecto a utilizar listas o tabulaciones para dar formato a los datos de un documento. Puede escoger entre varios tipos diferentes de tablas, e introducir datos en ellas es relativamente fácil.

1. Abra un documento nuevo.

2. Pulse en el botón +.

3. Pulse en Tabla. Las tablas ofrecen cuatro opciones posibles. Además, puede hacer un barrido a izquierda y derecha en el menú para mostrar seis variantes de color.

4. Pulse en la primera tabla para insertarla.

5. Pulse en el botón de la flecha doble que hay a la derecha de la tabla o bajo ésta para ajustar el número de filas y columnas.

6. Haga una pulsación doble sobre una celda para introducir texto.

7. Pulse en el botón de la brocha para mostrar el menú Tabla/Cabecera/Celdas.

8. Pulse en Tabla para escoger uno de los seis estilos de tabla.

9. Pulse en Opciones de tabla para acceder a un menú que le proporciona aún más control sobre los bordes y el color de fondo de la tabla. Pulse en la flecha negra cuando haya terminado.

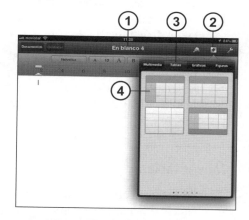

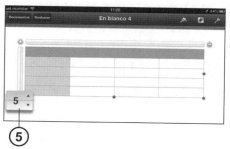

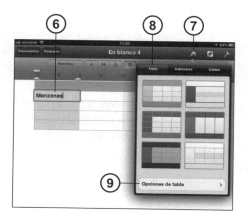

10. Pulse en **Cabeceras** para cambiar el número de filas utilizadas como encabezado y también el número de columnas. Incluso puede agregar filas en la parte inferior. Todas éstas se mostrarán con colores diferentes, conformes al estilo de la tabla.

11. Pulse en **Celdas**para mostrar las opciones que determinan cómo se adaptará el texto y para enviar la tabla delante o detrás de otros objetos.

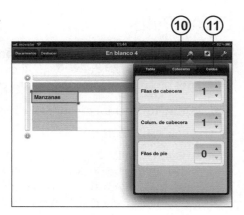

Mover tablas

Cuando la tabla esté seleccionada y vea unas barras arriba y a la izquierda y un círculo en la esquina superior izquierda, puede arrastrar la tabla por el documento agarrándola por cualquier punto y arrastrando.

CREAR GRÁFICAS

Las gráficas son otro modo visual de expresar números. Pages incluye nueve tipos de gráficas diferentes.

1. Cree un documento en blanco.

2. Pulse en el botón +.

3. Pulse en **Gráficas**. Puede recorrer hasta seis páginas de estilos de gráficas, aunque los detalles esenciales de cada conjunto de gráficas son los mismos.

4. Pulse sobre una gráfica para seleccionarla e insertar una de ese tipo en el centro de su documento.

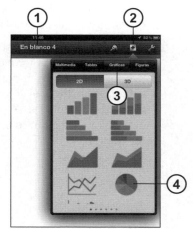

5. Una vez seleccionada la gráfica, pulse el botón **Editar Datos**.

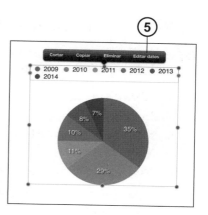

6. Para modificar los datos existentes y crear su propia gráfica, pulse sobre el campo y escriba.

7. Cuando haya acabado de introducir datos, pulse en **OK**.

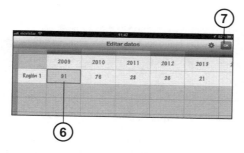

8. Cuando regrese a la vista principal del documento, seleccione la gráfica y pulse en el botón de la brocha.

9. Dentro del menú **Gráficas**, seleccione un esquema de color para la gráfica. También puede escoger entre la versión 2D y la 3D de cada estilo.

10. Pulse en Opciones de gráficas. Utilice este menú para cambiar varias de las propiedades de la gráfica.

11. Puede pulsar sobre el centro de las gráficas tridimensionales y arrastrar para ajustar su ángulo.

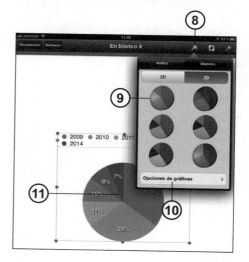

CONFIGURACIÓN DEL DOCUMENTO

En Pages puede cambiar varias de las propiedades de sus documentos.

1. Abra un documento o cree uno nuevo.

2. Pulse en el botón de la llave inglesa.

3. Escoja Ajustes del documento.

4. Arrastre las flechas hasta los cuatro bordes de la página para ajustar la anchura y la altura de la página.

5. Para agregar texto al encabezado, pulse sobre éste.

6. Mientras escribe en el encabezado, pulse en uno de los tres espacios (izquierda, centro, derecha) para mostrar una barra de herramientas, en la que podrá seleccionar la opción Números de página para hacer que los números de página se sitúen automáticamente en esa parte del encabezado.

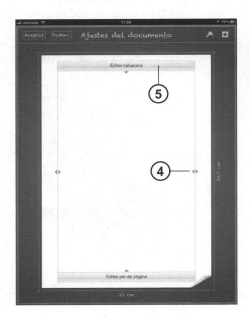

Añadir imágenes de fondo

Una cosa que puede hacer en Ajustes del documento y que no es obvia es añadir objetos de fondo para que aparezcan en todas las páginas. Puede pulsar el botón + para añadir fotos, tablas, gráficas y formas al área de la página principal. La imagen añadida aparecerá por detrás del texto. Incluso puede añadir textos que aparezcan en todas las páginas con sólo insertar un cuadro de texto vacío y sin bordes, agregándole seguidamente el texto.

7. Pulse en el pie para agregar texto al pie.

8. Pulse sobre la esquina doblada de la página para cambiar el tamaño del papel.

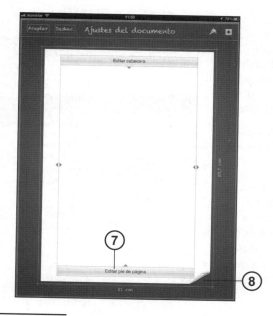

Crear un fondo

Puede colorear todo el fondo creando una forma rectangular y ajustándola para que coincida con la página. Añádale después un fondo sombreado o con texturas como color en las Opciones de estilo de la forma. También puede colocar una imagen sobre todo el fondo.

COMPARTIR E IMPRIMIR DOCUMENTOS

Gracias a iCloud, compartir documentos con Pages, Numbers y Keynote entre sus propios dispositivos es muy sencillo. Cualquier documento que cree en cualquier dispositivo estará directamente disponible en el resto. Pero también puede compartir su documento con otra persona enviándoselo por correo, imprimiéndolo o enviándolo a un servidor de red.

1. Cuando esté visualizando un documento, pulse en el botón de la llave inglesa de la parte superior derecha.

2. Pulse en Compartir e imprimir.

3. Escoja Enviar por correo para enviar el documento por correo electrónico.

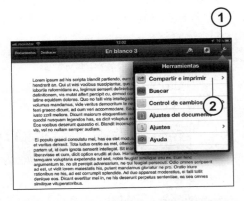

4. Escoja el formato en el que enviará el documento. Puede enviarlo como un documento de Pages, como un PDF, o como un documento de Microsoft Word.

5. Seleccione Imprimir para enviar el documento a una impresora AirPrint en red.

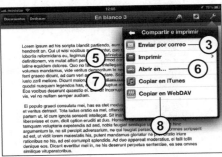

6. Puede exportar desde Pages a un archivo PDF o Word y abrirlo en otras aplicaciones que trabajen con estos tipos de archivos. Numbers y Keynote pueden utilizar esta función para exportar a formatos como Excel y PowerPoint.

7. Escoja Copiar en iTunes para colocar una copia del documento en un lugar de su iPad en el que podrá verlo y transferirlo utilizando iTunes la próxima vez que sincronice con su ordenador.

8. Elija esta opción para enviar el documento a un servicio de transferencia de archivos de Internet.

Pages es compatible con Word

Aparte de documentos de Pages, en la lista de archivos para importar de iTunes puede colocar también archivos .doc y .docx de Microsoft Word pues Pages también trabaja con ellos.

Pages no es Pages

El Pages de su iPad y el Pages de su Mac no son el mismo. En su Mac puede hacer muchas más cosas con Pages. Por tanto, puede que a veces se encuentre con un aviso al importar documentos indicándole qué no ha funcionado al importar su archivo a su iPad.

Objetivos:

Con Numbers puede crear hojas de cálculo, realizar operaciones matemáticas y crear formularios y gráficas.

Crear una hoja de cálculo nueva.

sumar columnas.

Hallar la media aritmética de una columna.

Realizar cálculos.

Dar formato a las tablas.

Crear formularios.

Crear gráficas.

Utilizar varias tablas.

12. Crear hojas de cálculo con Numbers

Numbers es un versátil programa que le permite crear la tabla con números más aburrida de la historia (puede intentar batir el record mundial si le apetece) o una elegante gráfica que muestre la información como ningún párrafo de texto podría hacer jamás.

CREAR UNA HOJA DE CÁLCULO NUEVA

Los documentos se gestionan en Numbers exactamente del mismo modo en que se haría en Pages, así que consulte el capítulo 11 si necesita un recordatorio. Vamos a empezar directamente por ver cómo se crea una hoja de cálculo sencilla.

1. Pulse en el icono de Numbers de su pantalla de inicio para empezar.

2. Pulse en + y luego en Crear hoja de cálculo para ver todas las plantillas disponibles.

La terminología de Numbers

Las cuadrículas se suelen denominar tablas. Una página de tablas, que muchas veces es una única tabla que ocupa toda la página, se denomina hoja. Puede tener varias hojas en un mismo documento, todas representadas mediante fichas. En este caso, la primera ficha representa a la hoja 1. Pulse en + para añadir una nueva hoja.

3. Pulse en En blanco para escoger la plantilla más básica.

4. Pulse en una de las celdas para seleccionar la hoja. Se mostrará el contorno de la celda.

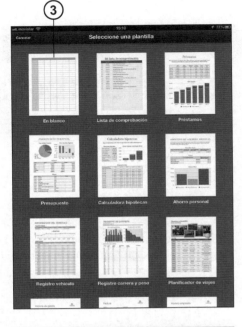

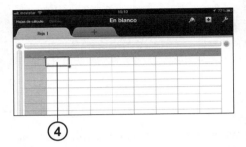

5. Haga una pulsación doble sobre la celda. Se mostrará el teclado en pantalla.

6. Utilice el teclado para escribir un número. El número aparecerá tanto en la celda como en un campo de texto que hay sobre el teclado. Utilice este campo de texto para editar el texto, pulsando en su interior para recolocar el cursor si fuera necesario.

7. Pulse en el botón **Siguiente** superior, el que tiene la fecha que apunta a la derecha.

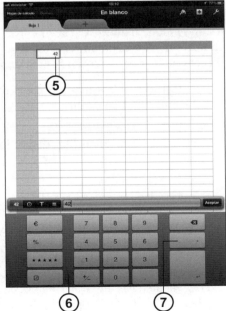

Cambiar las opciones del teclado

Los cuatro botones encima del teclado, en el lado izquierdo, representan los formatos de números, horas, textos y fórmulas de las celdas. Si selecciona el de los números, se mostrará un teclado numérico para que pueda introducir un número. Si selecciona el reloj, accederá a un teclado especial para para introducir fechas y horas. Si selecciona la T, verá un teclado normal. Por último, si selecciona el signo igual, se mostrará un teclado con botones especiales para introducir fórmulas.

8. El cursor se desplazará hasta la columna de la celda siguiente. Escriba también un número en ésta.

9. Pulse en el botón **Siguiente** de nuevo e introduzca un tercer número.

10. Pulse en el espacio que hay justo sobre el primer número que ha introducido. El teclado pasará a ser un teclado estándar para escribir texto en vez de números.

11. Introduzca un nombre para esta primera columna.

12. Pulse en la cabecera de cada una de las otras dos columnas para introducir también sus títulos.

13. Pulse a la izquierda del primer número que ha introducido. Escriba un título para la fila.

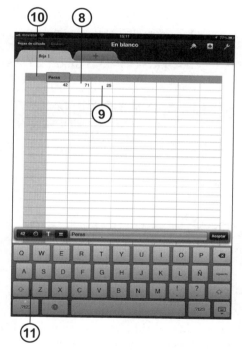

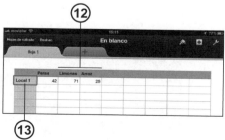

14. Ahora, introduzca unas cuantas filas más de datos.

15. Pulse en el botón **Aceptar**.

16. Pulse sobre el círculo con cuatro puntos y arrástrelo hacia la derecha de la barra que hay sobre la tabla. Arrástrelo a la izquierda para eliminar las columnas innecesarias.

17. Pulse sobre el mismo círculo en la parte inferior de la barra vertical que hay a la izquierda de la tabla y arrástrelo hacia arriba para eliminar la mayoría de las filas adicionales y dejar algunas para un uso posterior.

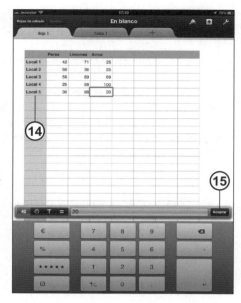

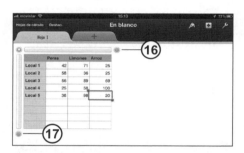

SUMAR COLUMNAS

Uno de los tipos de fórmula más básico es la suma. Por ejemplo, podríamos sumar las cantidades de cada una de las columnas del ejemplo anterior.

1. Partiendo del resultado del ejemplo anterior, haga una pulsación doble en la celda que hay justo bajo el número inferior de la primera columna.

2. Pulse en el botón = para cambiar al teclado para la introducción de fórmulas.

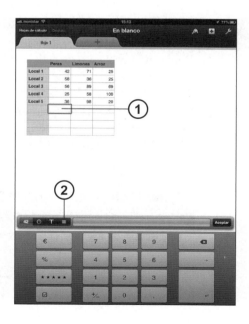

3. Pulse en el botón **SUMA** del teclado.

4. En el campo de texto aparecerá la fórmula de la celda.

5. Pulse en el botón de la marca de verificación verde.

6. En la celda aparecerá el resultado de la fórmula. Repita los pasos del 2 al 4 para las demás columnas de la tabla.

Actualizaciones automáticas

Si no está familiarizado con las hojas de cálculo, sepa que lo mejor de todo es que las fórmulas como ésta se actualizan automáticamente. Por tanto, si cambia uno de los números de la primera columna, la suma de la última fila cambiará automáticamente para mostrar el nuevo total.

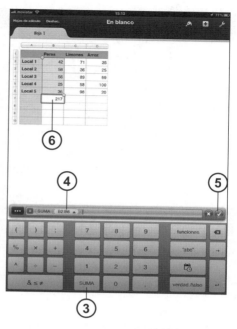

HALLAR LA MEDIA ARITMÉTICA DE UNA COLUMNA

Con la función de la suma tuvimos un poco de suerte, pues tenía su propio botón pero, ¿qué pasa con los cientos de funciones restantes? Vamos a empezar por algo sencillo como hallar las medias de las columnas.

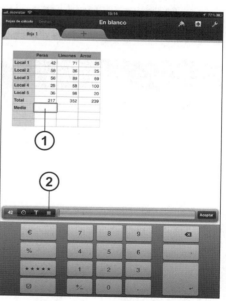

1. Siguiendo con el ejemplo de la sección anterior, haga una pulsación doble en la celda que hay bajo el total de la primera columna de números.

2. Pulse en el botón = para cambiar al modo fórmula.

3. Pulse en el botón **funciones**.

4. Pulse en la ficha Categorías de la parte superior del menú y, dentro del menú del botón **funciones**, pulse en Estadística.

5. En la lista de funciones, pulse en MEDIANA.

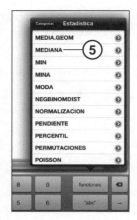

6. En el campo de introducción de datos ahora aparece MEDIANA(valor). El color azul claro significa que el "valor" está seleccionado y listo para ser definido.

7. Pulse en la celda B2.

8. Arrastre el punto inferior para que incluya las celdas de la B2 a la B6. No añada la fila del total a la media. El campo de introducción de datos debería poner ahora MEDIANA(B2:B6).

9. Pulse en el botón de la marca de verificación verde.

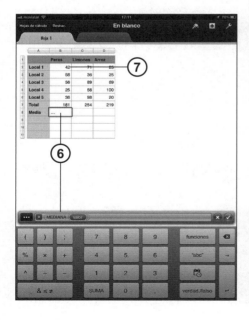

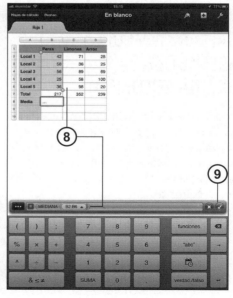

10. Ahora la celda debería mostrar la media de la columna. Pulse una vez sobre ella para ver el menú **Cortar/Copiar/Pegar**.

11. Pulse en **Copiar**.

12. Pulse en la celda que hay bajo el total para ver la segunda columna de números.

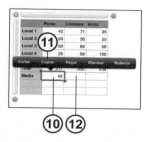

13. Arrastre el punto inferior derecho para expandir el área, de modo que cubra también la siguiente celda.

14. Pulse en las dos celdas para mostrar la opción **Pegar**.

15. Pulse en **Pegar**.

16. Pulse en **Pegar fórmulas**.

17. Ahora las tres fórmulas muestran la media de las filas de la 2 a la 6. Observe que Numbers es lo bastante listo como para saber que, cuando desea copiar y pegar una fórmula de una columna a otra, debe mirar en las mismas filas pero en una columna diferente.

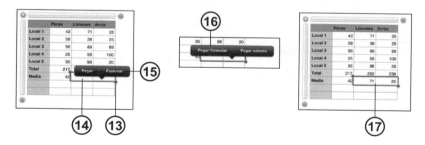

REALIZAR CÁLCULOS

Hasta ahora hemos visto dos fórmulas sencillas. Vamos a ver qué más se puede hacer con una de los cientos de funciones diferentes y los símbolos matemáticos habituales.

1. Comience por una tabla como esta. Muestra las medidas de la base y la altura de tres triángulos.

2. Haga una pulsación doble en la tercera columna.

3. Pulse en el botón = para introducir una fórmula.

4. Pulse en el primer número de la primera columna. En el campo de introducción de datos, aparecerá "Base Triángulo 1".

5. Pulse en el símbolo de división.

6. Pulse el 2.

7. Pulse en el botón de la multiplicación.

8. Pulse el primer número de la segunda columna.

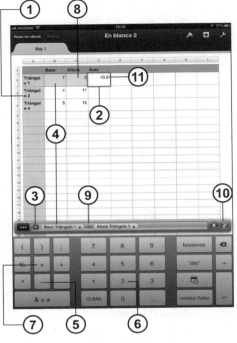

9. En el campo de entrada, ahora debería poner "Base Triángulo 1 ÷ 2 x Altura Triángulo 1".

10. Pulse en la marca de verificación verde.

11. Obtendrá 10,5 como resultado, que es la mitad de la base del triángulo por su altura, es decir, el área del triángulo.

El uso de los paréntesis

Un matemático más cauto habría escrito esta fórmula como "(base del triángulo 1 / 2) x Altura del triángulo 1". Al agrupar entre paréntesis la base dividida entre 2, nos aseguramos de obtener el resultado correcto. Puede utilizar para ello los paréntesis del teclado numérico para fórmulas.

DAR FORMATO A LAS TABLAS

Vamos a dejar los cálculos para pasar al diseño. Dispone de muchas opciones de formato para hacer que sus hojas de cálculo sean más bonitas.

Dar formato a las celdas

1. Regrese al ejemplo original o a uno parecido.

2. Seleccione las seis celdas de los totales y las medias aritméticas.

3. Pulse en el botón de la brocha.

4. Pulse en **Celdas** para ver las opciones de estilo, formato y color de las celdas.

5. Seleccione Color de relleno.

6. Pulse en la muestra azul más clara. También puede arrastrarla hacia la izquierda para acceder a una segunda página de colores que, en realidad, es un conjunto de grises. La segunda página incluye una opción para devolver el relleno a su estilo original.

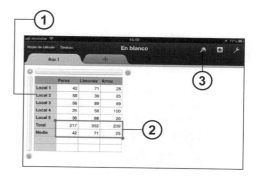

7. Pulse en la flecha de retroceso para regresar al menú **Celdas**.

8. Pulse en **B** para poner el texto en negrita.

9. Cambie la selección para que incluya sólo la fila de la media aritmética.

10. Pulse de nuevo en el botón de la brocha.

11. Pulse en Opciones de texto.

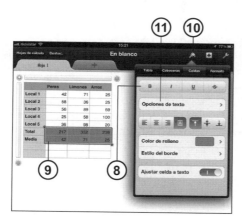

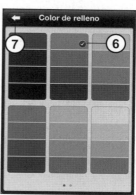

12. Pulse en Color.

13. Escoja el tercer azul más oscuro.

14. Pulse dos veces sobre la flecha de
    retroceso para volver atrás dos
    menús.

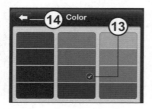

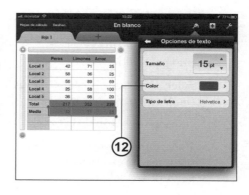

15. Pulse en **Formato**.

16. Pulse en la flecha azul que hay a la derecha de
    Número.

17. Ajuste el número de cifras decimales. Pruebe
    con 2.

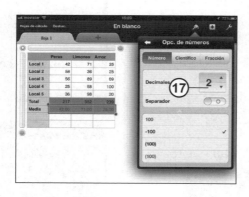

Dar formato a tablas completas

Además de formatear sólo las celdas, también puede utilizar muchas opciones
para cambiar el estilo básico de su tabla. Vamos a explorar algunas de las
opciones.

1. Siguiendo con la tabla del ejemplo anterior, pulse en cualquier punto de ésta para seleccionarla.

2. Pulse en el botón de la brocha para mostrar el menú.

3. Pulse en **Tabla**.

4. Pruebe con un estilo diferente, como el verde de la izquierda (el segundo).

5. El nuevo estilo sustituirá el formato que utilizamos para las celdas, así que lo mejor es encontrar un estilo de tabla antes de personalizar los estilos de las celdas.

6. Pulse Opciones de tabla para explorar otras opciones de tablas.

7. Pulse en el interruptor Nombre de tabla para añadir o quitar el título.

8. Pulse en el interruptor Borde de tabla para añadir o quitar el borde.

9. Pulse en el interruptor Filas alternas para hacer que las filas tengan colores alternos.

10. Pulse en Cuadrícula para tener un control más minucioso del aspecto de la cuadrícula que utiliza la tabla.

11. Pulse en Tamaño del texto y Tipo de letra para cambiar el tamaño y la fuente que utiliza la tabla.

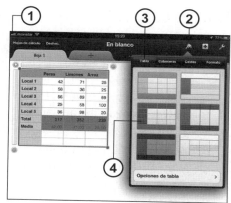

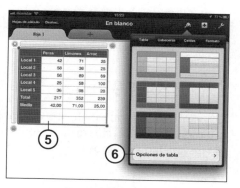

Utilizar cabeceras y pies

Vamos a continuar con el ejemplo anterior para explorar las cabeceras y los pies:

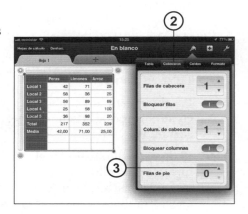

1. Pulse en el botón **Volver** para volver al menú de formato principal.

2. Pulse en el botón **Cabeceras** para ajustar el número de filas y columnas de cabecera y agregar filas al pie.

3. Pulse en la flecha superior de Filas de pie para aumentar a 4 las filas del pie.

CREAR FORMULARIOS

Los formularios son una forma alternativa de introducir datos en una hoja de cálculo. Un formulario contiene muchas páginas, donde cada una representa una fila de una tabla. Vamos a seguir con el ejemplo anterior y a utilizarlo para crear un formulario.

1. Pulse en el botón +, que se muestra como una segunda ficha en el documento.

2. Pulse en Nuevo formulario. Para poder acceder a la opción que crea un formulario, debe tener al menos una columna con un valor en su fila de cabecera.

3. Escoja una tabla. Sólo tenemos una, así que la decisión es sencilla. Pulse en Tabla 1 para ver la primera página del formulario que representa la primera fila de datos de nuestra tabla.

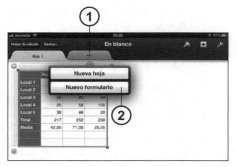

4. Pulse en la flecha que apunta hacia la derecha en la parte inferior de la pantalla para moverse por las cinco filas (páginas) de datos existentes.

5. Pulse en el botón + de la parte inferior de la pantalla para introducir una nueva fila de datos.

6. Pulse en la parte superior de la pantalla para introducir una fila de cabecera.

7. Pulse en cada uno de los tres campos para introducir datos.

8. Utilice el botón **Siguiente** del teclado en pantalla para pasar al siguiente campo.

9. Cuando termine, pulse en la primera ficha, Hoja 1, para regresar a la hoja de cálculo original. Verá los nuevos datos en una fila nueva.

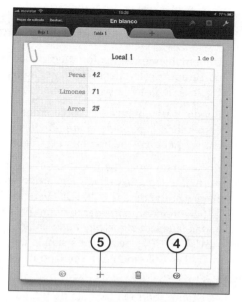

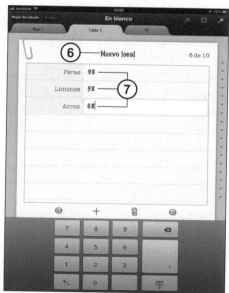

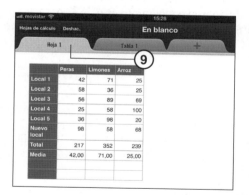

¿Por qué no se actualizan las fórmulas?

Lamentablemente, las fórmulas de los totales y las medias de nuestro ejemplo no se actualizan cuando se agrega una nueva fila. Se quedan con las filas de la 2 a la 7 de la tabla y no se expanden para utilizar la fila 8. ¿Qué es lo que falla?

Bueno, para empezar, si hubiéramos añadido una fila en la mitad de la tabla, ésta habría expandido el área de la suma. Por tanto, parte de nuestro problema es que hemos añadido una celda debajo del área de la suma.

En segundo lugar, hemos creado una celda con la función suma en una celda normal. Luego, la hemos convertido en una celda de pie. Si empezamos de nuevo borrando esa celda de la suma y creándola de nuevo, Numbers es lo suficientemente inteligente como para darse cuenta de que nos referimos a todas las celdas que hay en la columna entre la cabecera y el pie. En lugar de =SUMA(B2:B7), tendremos simplemente =SUMA(B). Luego, podremos añadir más filas utilizando el formulario de tal modo que la suma se incrementaría adecuadamente.

Por tanto, borre la fórmula de B9, sustitúyala por =SUMA(B) y listo. Haga lo mismo con las demás celdas de suma y media aritmética. Cuando lo haga, Numbers creará la fórmula automáticamente cuando pulse el botón **SUMA**. La fórmula aparecerá realmente como =SUMA(Peras) porque hemos llamado a la columna Peras.

Para crear su fila con la media aritmética, utilice el botón **Funciones** y seleccione MEDIANA como antes pero pulse en la barra sobre las columnas B, C y D para indicarle a Numbers que desea obtener la media de toda la columna, es decir, las celdas comprendidas entre la cabecera y el pie.

CREAR GRÁFICAS

Representar números visualmente es una de las funciones primarias de una hoja de cálculo moderna. Con Numbers, puede crear gráficas de barra, de línea y de tarta y muchas de sus variantes.

1. Cree una nueva hoja de cálculo vacía y rellénela con algunos datos básicos para utilizarla como ejemplo. Reduzca la tabla para eliminar las celdas que no necesite.

2. Pulse en el botón + de la parte superior de la pantalla.

3. Seleccione **Gráficas**.

4. Examine las seis variantes de color de las gráficas y pulse en la gráfica superior izquierda.

5. Ahora se le pedirá que pulse en la gráfica y que seleccione los datos de su hoja de cálculo.

6. Pulse y arrastre sobre todos los números del cuerpo de la tabla para agregar todas las filas de datos a la tabla.

7. Pulse en **Done**.

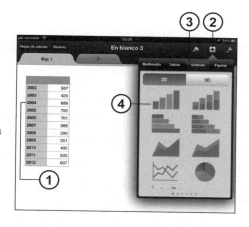

8. Pulse sobre la gráfica y arrástrela para colocarla en la hoja.

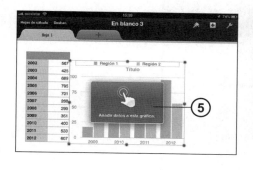

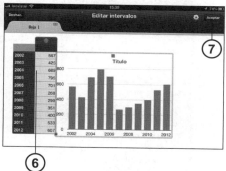

9. Pulse en la gráfica para asegurarse de que está seleccionada.

10. Pulse en el botón de la brocha. Puede alterar todo tipo de propiedades utilizando el menú **Gráfica/Eje X/Eje Y/Disposic.**.

11. Pulse en Opciones de gráficas.

12. Pulse en Tipo de gráfica.

13. Pulse en Línea para cambiar la gráfica por una de tipo lineal.

14. Pulse fuera del menú para cerrarlo.

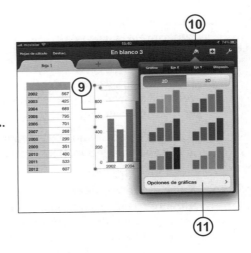

UTILIZAR VARIAS TABLAS

La principal diferencia entre Numbers y otras hojas de cálculo como Excel es que Numbers hace hincapié en el diseño de la página. Las hojas de Numbers no están concebidas para limitarse a contener una sóla cuadrícula con números; aquí puede utilizar varias tablas.

1. Cree una nueva hoja de estilos vacía y rellénela con datos, como en la imagen de ejemplo.

	Coste	Precio
Peras	0,18	0,5
Limones	0,12	0,4
Arroz	0,08	0,25

2. Reduzca la tabla para eliminar las celdas que no necesite.

3. Seleccione las celdas del cuerpo.

4. Pulse en el botón de la brocha.

5. Pulse en **Formato**.

6. Pulse en **Divisa**.

7. Pulse fuera del menú para cerrarlo.

8. Pulse en la tabla para seleccionarla. Asegúrese de que ha seleccionado toda la tabla y no una sóla celda.

9. Pulse en el botón de la brocha.

10. Pulse en Opciones de tabla.

11. Pulse en el interruptor Nombre de tabla para darle un nombre a la tabla.

12. Pulse fuera del menú para cerrarlo.

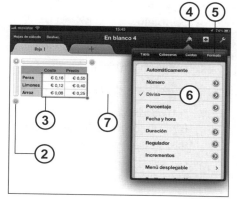

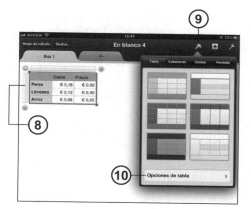

Seleccionar una tabla

Seleccionar toda una tabla sin seleccionar una celda puede ser complicado. Pulse en una celda para seleccionarla. Después, pulse en el círculo de la esquina superior izquierda de la tabla para que la selección abarque toda la tabla.

13. Seleccione sólo el nombre de la tabla y cámbielo.

14. Pulse el botón +.

15. Pulse en **Tablas**.

16. Seleccione el primer tipo de tabla.

17. Introduzca los datos como indica la figura y reduzca la tabla para eliminar las celdas que no necesite.

18. Seleccione el título de la tabla y cámbielo.

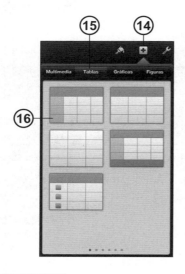

Ajustar el formato

Para no extenderme demasiado en este tutorial, he dejado algunas cosas fuera. Por ejemplo, puede seleccionar las columnas con fechas y cambiar su formato. Obviamente, cada fila representa un mes por lo que no necesita tener la fecha completa, día incluido. Puede cambiar el formato de la fecha de estas columnas por uno que no incluya el día, sólo el mes y el año. Basta con que seleccione estas celdas, pulse el botón de la brocha y mire dentro de **Formato**. Seleccione Fecha y hora y pulse sobre el círculo azul para escoger un formato de fecha y hora específico.

19. Seleccione la segunda tabla completa.

20. Pulse en el botón **Copiar**.

21. Pulse fuera de la tabla, en otro lugar de la hoja.

22. Pulse en **Pegar**.

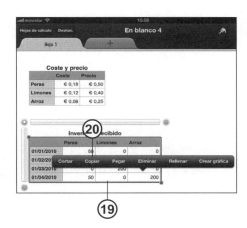

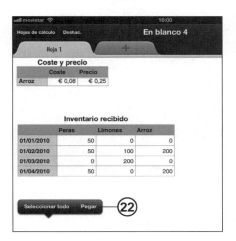

23. Cambie el título y los contenidos de la nueva tabla como se indica.

24. Ahora, seleccione las tablas segunda y tercera y expándalas agregándoles una columna adicional como se indica.

Mejorar la hoja

Otra cosa que puede hacer es añadir más títulos, textos e imágenes a la hoja; incluso formas y flechas. Además de contribuir a que la hoja tenga un mejor aspecto, esta información le ayudará a recordar qué tiene que hacer cada mes o le servirá de indicación a otra persona que tenga que actualizar la hoja.

25. Haga una pulsación doble en la primera celda que hay bajo Coste.

26. Pulse en el botón = que hay junto al campo de entrada para introducir una fórmula.

27. Pulse en la celda de la primera fila de Peras.

28. Pulse en la **x** del teclado en pantalla y pulse en el coste de las peras de la tabla Coste y precio.

29. Pulse en +.

30. Pulse en la celda Limones y luego pulse de nuevo en +.

31. Pulse en la celda Arroz. Luego, pulse en la **x** y pulse en el coste del arroz.

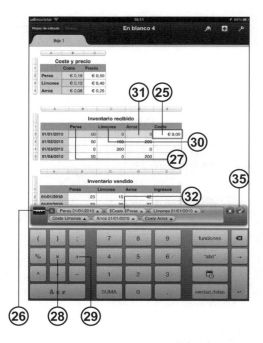

32. Pulse en la parte de la fórmula que pone Coste Peras.

33. Active los cuatro interruptores de preservación para evitar que cambie la referencia a la celda al copiar y pegar. Queremos que la cantidad del inventario cambie a cada fila, pero el precio de la otra tabla sigue siendo el mismo.

34. Repita los pasos 32 y 33 para el coste de los limones y el coste del arroz de la fórmula.

35. Pulse en la marca de verificación verde para finalizar la fórmula.

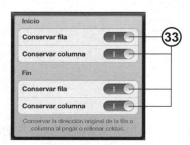

36. Pulse en el botón de la brocha.

37. Cambie el formato de la celda por Divisa.

38. Copie esa celda y péguela en las tres que hay debajo. Cuando le pregunten, elija pegar las fórmulas, no los valores.

Como resultado, obtendrá unos cálculos basados en los datos de dos tablas. Si lo desea, puede practicar un poco completando esta hoja de cálculo. Cree una fórmula similar para la columna de beneficios de la tabla siguiente basada en el precio de cada elemento y la cantidad vendida.

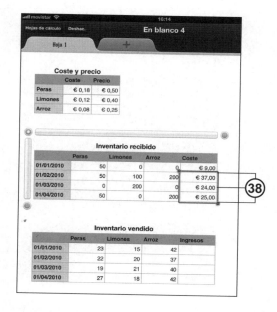

Coste y precio

	Coste	Precio
Peras	€ 0,18	€ 0,50
Limones	€ 0,12	€ 0,40
Arroz	€ 0,08	€ 0,25

Inventario recibido

	Peras	Limones	Arroz	Coste
01/01/2010	50	0	0	€ 9,00
01/02/2010	50	100	200	€ 37,00
01/03/2010	0	200	0	€ 24,00
01/04/2010	50	0	200	€ 25,00

Inventario vendido

	Peras	Limones	Arroz	Ingresos
01/01/2010	23	15	42	
01/02/2010	22	20	37	
01/03/2010	19	21	40	
01/04/2010	27	18	42	

Objetivos:

En este capítulo utilizaremos Keynote para crear y mostrar presentaciones.

Crear una presentación sencilla.

Cree su propia diapositiva.

Agregar transiciones.

Organizar diapositivas.

Reproducir la presentación.

Realizar la presentación en una pantalla externa.

13. Hacer presentaciones con Keynote

No hay suite de aplicaciones de negocio que no tenga una aplicación para crear presentaciones y, en el caso del iPad, esta aplicación es Keynote. Los aspectos esenciales del uso de Keynote son los mismos de Pages y Numbers, por lo que en este caso vamos a pasar directamente a la creación de presentaciones.

CREAR UNA PRESENTACIÓN SENCILLA

Keynote sólo trabaja con la pantalla en orientación horizontal. Por tanto, ponga de lado su iPad cuando inicie la aplicación. Los documentos se gestionan del mismo modo en Keynote que en Pages y Numbers, incluyendo la posibilidad de utilizar iCloud para almacenarlos. Si necesita refrescar un poco los conceptos, consulte el capítulo 11 donde se describe el uso de Pages.

1. Pulse en el icono de Keynote de la pantalla de inicio. Si es la primera vez que la utiliza, en el centro de la pantalla verá la presentación de ejemplo. En tal caso, pulse el botón **Presentationes** de la parte superior izquierda para obtener, primero, una lista de sus presentaciones y acceder, después, al botón +.

2. Pulse en Crear presentación.

3. Escoja un tema. En este ejemplo, vamos a utilizar Degradado.

4. Haga una pulsación doble en la línea de texto que pone Pulse dos veces para editar.

5. Escriba un título utilizando el teclado en pantalla.

6. Haga una pulsación doble en el área de subtítulos y escriba un subtítulo.

7. Pulse el botón que cierra el teclado.

8. Pulse el pequeño botón de la esquina inferior derecha de la imagen para abrir una lista con los álbumes de fotos.

9. Escoja una foto.

10. Pulse en el botón + de la esquina inferior izquierda para mostrar una lista de diapositivas.

11. Pulse en cualquiera de las plantillas de diapositivas para añadir una. Ahora su presentación tiene dos diapositivas.

Iniciar presentaciones nuevas

Las presentaciones de Keynote se componen de diapositivas. Las diapositivas de la presentación actual se muestran en el lado izquierdo de la pantalla. La diapositiva seleccionada ocupa la mayor parte de la pantalla. Las diapositivas se crean con una de las ocho plantillas disponibles pero puede modificarlas como desee.

Tenga presente que, una vez iniciada una presentación nueva, no hay ningún modo de cambiar de tema o acceder al diseño de otro tema. Puede que esto le decepcione un poco si está acostumbrado a trabajar con Keynote en un Mac.

Eso sí, puede copiar y pegar diapositivas completas de una presentación a otra. Por tanto, si quiere tener un documento que mezcle temas, puede hacerlo copiando y pegando.

CREE SU PROPIA DIAPOSITIVA

Puede eliminar elementos y añadir los suyos propios a cualquier plantilla. Puede practicar añadiendo sus propios elementos a una diapositiva utilizando la plantilla vacía.

1. Puede iniciar un nuevo documento o seguir con el ejemplo anterior. Pulse en + para añadir una diapositiva nueva.

2. Escoja la diapositiva vacía de la parte inferior derecha.

3. Pulse en el botón + de la parte superior para agregar un elemento.

4. Pulse en **Multimedia**.

5. Seleccione un álbum y, luego, escoja una foto de ese álbum.

6. Con la foto seleccionada, utilice uno de los puntos azules para reducir la imagen.

7. Con la imagen seleccionada, pulse en el botón de la brocha y luego pulse en **Estilo**.

8. De los seis estilos básicos de imagen, pulse sobre el inferior derecho o bien pulse en Opciones de estilo para personalizar aún más el aspecto de la foto.

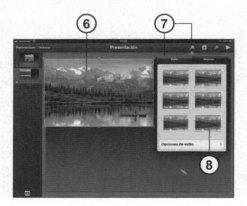

Seleccionar todo

Para seleccionar todos los objetos, pulse en un espacio en el que no haya objetos. Tras una breve pausa, pulse ahí de nuevo y podrá elegir la opción **Seleccionar todo**.

9. Añada dos imágenes más utilizando los pasos del 3 al 8.

10. Para seleccionar varios elementos, utilice dos dedos. Pulse la primera imagen con un dedo y mantenga pulsado. Utilice una segunda figura para pulsar las otras dos imágenes y añadirlas a la selección. Arrastre entonces las tres imágenes hasta un lugar más adecuado.

11. Pulse el botón + para añadir otro elemento.

12. Pulse en **Figuras**.

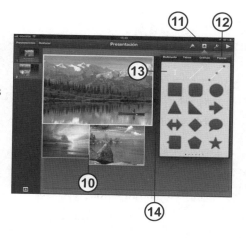

13. Pulse en el primer elemento, una T, que representa un cuadro de texto plano.

14. Pulse fuera del menú para cerrarlo.

15. Pulse en el cuadro de texto para seleccionarlo.

16. Arrástrelo hasta una nueva posición y amplíelo.

17. Haga una pulsación doble sobre el cuadro para introducir algo de texto.

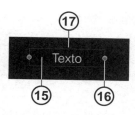

18. Cierre el teclado y seleccione el cuadro de texto. Con el cuadro seleccionado, pulse en el botón de la brocha.

19. Pulse en **Texto** para cambiar el estilo de la fuente.

20. Pulse la **B** para poner el texto en negrita.

21. Pulse fuera del menú para cerrarlo.

22. Como puede ver su texto queda resaltado ahora en negrita.

AGREGAR TRANSICIONES

Al igual que otros programas de presentaciones, Keynote para iPad posee varias opciones para crear transiciones. Para practicar un poco, inicie una presentación de ejemplo, similar a las que hemos visto, o cree un documento nuevo con algunas diapositivas de prueba.

1. Seleccione la primera diapositiva de la izquierda.

2. Pulse en el botón **Transición** que aparecerá.

3. Desplácese por las transiciones y escoja una. Pruebe con Arrastre. La diapositiva se animará por un momento para mostrarle cómo es la transición.

4. Pulse en **Opciones**.

5. Seleccione cualquiera de las opciones asociadas con la transición. Por ejemplo, la transición Arrastre puede moverse en cualquiera de las cuatro direcciones. Si no quiere cambiar ninguna opción, pulse en cualquier punto para cerrar el menú.

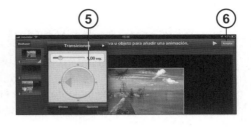

6. Pulse sobre **Aceptar**, en la esquina superior derecha de la pantalla.

Movimiento mágico

Se trata de otro tipo de transición, en la que los objetos de una diapositiva son los mismos que los de la siguiente pero en posiciones diferentes. La transición mueve estos objetos de la primera posición a la segunda.

1. Seleccione una diapositiva que contenga varios objetos, por ejemplo tres imágenes. Pulse el botón **Transición**.

2. Pulse sobre la transición.

3. Escoja Movimiento mágico.

4. Pulse en **Sí** para duplicar la diapositiva actual. De este modo, tendrá dos diapositivas idénticas con las que crear una transición de este tipo.

Consiga efectos únicos con Magic Move

Lo mejor de la transición Magic Move es que puede crear algunos efectos únicos. Como muestra, en nuestro ejemplo podríamos amontonar todas las fotos en un pequeño espacio de la primera diapositiva y esparcirlas después en la segunda. La transición crearía el efecto de que las fotos salen despedidas en dirección a su posición final.

5.	Las diapositivas 3 y 4 son idénticas, y la 4 es la actual. Cambie los objetos de lugar o cambie su tamaño. Las estrellas le indican qué elementos intervendrán en la transición.

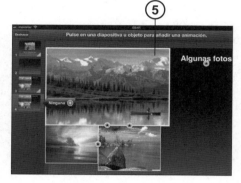

6.	Pulse en la tercera diapositiva.

7.	Pulse en la flecha de reproducción para previsualizar la transición que va de la tercera a la cuarta diapositiva. Deberá pulsar la pantalla de nuevo para pasar de una diapositiva a la otra y ver la transición.

8.	Pulse en **Aceptar**, en la esquina superior derecha de la pantalla.

Transiciones de objetos

Además de las transiciones de pantalla completa, que se aplican cuando se cambia de diapositiva, también puede definir cómo se mostrarán determinados elementos de la diapositiva.

1. Parta de una diapositiva que tenga un título y una lista de viñetas. Pulse en el texto del título de la diapositiva.

2. Pulse en **Animar**.

3. Pulse el botón **entrada**

4. Pulse en Explosión para previsualizar la animación. También puede explorar los elementos del menú **Opciones**, **Reparto**, **Orden** aunque no los vayamos a utilizar en este ejemplo.

5. Pulse sobre la lista de viñetas.

6. Pulse en **entrada**.

7. Baje hasta Entrada y pulse sobre esta opción.

8. Pulse en **Reparto**.

9. Pulse en Por viñeta y pulse en **Aceptar**, en la esquina superior derecha de la pantalla. Este efecto mostrará inicialmente una pantalla vacía y, al pulsar la pantalla, aparecerá el título con una transición de explosión. Cada una de las tres pulsaciones siguientes mostrará una viñeta.

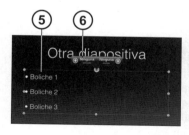

No se lo aplique al primer objeto

Un error habitual es aplicar Entrada a todos los objetos, como en este ejemplo. Como se trata del primer objeto, esto implica que en la diapositiva no aparecerá nada al principio; se parte de vacío. Entonces aparecerá el título y luego los elementos de viñeta. Sin embargo, algunas veces es mejor empezar la diapositiva con el título ya puesto.

ORGANIZAR DIAPOSITIVAS

Al crear presentaciones en su iPad, puede que descubra que necesita reordenar sus diapositivas, pero eso no es ningún problema en Keynote. Utilice para practicar una presentación que tenga varias diapositivas.

1. Cree una presentación que incluya varias diapositivas.

2. Pulse sobre la tercera diapositiva y mantenga la pulsación Se hará un poco más grande y comenzará a seguir a su dedo, lo que le permitirá arrastrarla hasta otra posición.

Agrupar diapositivas

Al arrastrar una diapositiva y devolverla a la lista, tiene dos opciones. La primera es colocarla alineada a la izquierda, donde se suele situar. Pero si mueve la diapositiva ligeramente a la derecha, la estará agrupando con la que tiene justo encima. Los grupos son un modo magnífico de reunir en un mismo elemento diapositivas que deben ir juntas. De este modo, podrá moverlas como un sólo elemento cuando lo necesite. Para moverlas como un grupo, cierre el grupo pulsando en el triángulo junto a la diapositiva padre y, seguidamente, cámbiela de posición; todas las hijas la seguirán.

3. Arrastre la diapositiva 4 a la derecha para insertarla en el grupo de la diapositiva 3.

4. Pulse en el triángulo a la izquierda de la diapositiva 3 para cerrar el grupo.

5. Pulse en la diapositiva 5 y mantenga el dedo pulsado.

6. Utilice la otra mano para pulsar en la diapositiva 6 y luego suelte el dedo. Ahora puede mover este grupo de dos diapositivas como una sóla unidad.

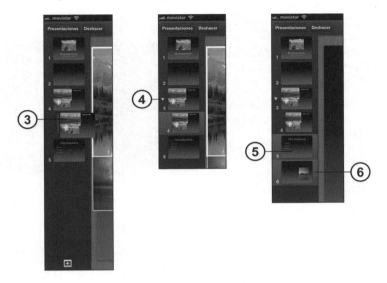

7. Pulse una vez para seleccionar una diapositiva. Espere un instante y pulse otra vez para mostrar un menú.

8. Utilice **Cortar**, **Copiar** y **Pegar** como lo haría al editar textos. De este modo, podrá duplicar diapositivas.

9. Pulse en **Eliminar** para eliminar una diapositiva.

10. Pulse en **Omitir** para marcar las diapositivas que desee saltarse durante la presentación. Esto se utiliza para eliminar temporalmente algunas diapositivas de una presentación como en el caso de que se vaya a dirigir a una audiencia específica, por ejemplo.

REPRODUCIR LA PRESENTACIÓN

Una vez creada la presentación, o si desea previsualizar lo que ha creado, puede reproducir su presentación.

1. Abra una presentación en Keynote y pulse el botón de reproducción.

2. La presentación llenará toda la pantalla. Pulse en el centro o en el lado derecho de la pantalla para avanzar a la siguiente diapositiva. También puede pulsar y arrastrar de izquierda a derecha.

3. Para volver a la diapositiva anterior, arrastre de derecha a izquierda.

4. Pulse en el borde izquierdo de la pantalla para mostrar una lista de diapositivas.

5. Pulse en uno de los elementos de la lista para acceder directamente a esa diapositiva.

6. Haga una pulsación doble en la lista de diapositivas para cerrar la lista.

7. Haga una pulsación doble en el centro de la pantalla para finalizar la presentación y volver al modo edición.

¿Qué adaptador de vídeo utilizo?

Una de las maneras de mostrar la presentación de Keynote en una pantalla externa es utilizar un adaptador. Hay dos opciones principales: el adaptador VGA o el adaptador HDMI. Utilice el VGA si tiene pensado hacer la presentación en un proyector tradicional para salas de reunión. Sin embargo, las televisiones más recientes y puede que algunos proyectores más avanzados utilizan una conexión HDMI. También puede convertir el VGA para adaptarlo a otras conexiones de vídeo. Por ejemplo, si necesita conectarse a una TV utilizando un componente o s-video, debería buscar algún adaptador VGA que le sirviera. Antes de comprarlo, intente que le confirmen que es compatible con su iPad.

REALIZAR LA PRESENTACIÓN EN UNA PANTALLA EXTERNA

Hacer la presentación en su iPad, con gente mirando por encima de su hombro, probablemente no sea lo que tenía pensado. Lo mejor es hacerla en un monitor grande o en un proyector. Esto se puede hacer con un conector iPad Dock o un adaptador VGA, como veremos en el capítulo 18.

1. Cuando tenga conectado su adaptador VGA, el botón de reproducción mostrará un cuadro alrededor para indicarle que su iPad está preparado para hacer la presentación en un dispositivo de vídeo externo. Pulse el botón de reproducción.

2. Pulse en el centro o en el lado derecho de la pantalla para avanzar a la siguiente diapositiva o revelar el siguiente objeto de la diapositiva actual.

3. Pulse en el borde izquierdo de la pantalla para mostrar una lista de diapositivas.

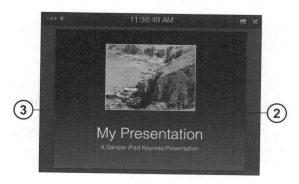

4. Pulse en una de las diapositivas de la izquierda para saltar a ella.

5. Pulse en el botón **X** para detener la presentación.

6. Pulse el botón **Layouts** para mostrar las distintas opciones de diseño. Puede elegir entre ver tanto la diapositiva actual como la siguiente, o la actual con las notas en la parte inferior.

7. Pulse en la diapositiva y mantenga el dedo pulsado para mostrar un punto rojo que podrá utilizar como puntero.

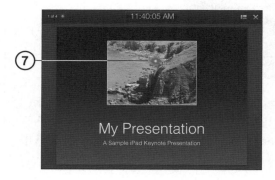

Hacer presentaciones con Apple TV

También puede utilizar la funcionalidad de AirPlay que le permite enviar su presentación por vía inalámbrica a una Apple TV (de 2ª generación o superior; consulte el capítulo 4 para obtener más información). Pero, cuando pulse el botón de reproducción para reproducir su presentación, pasará a un modo especial en el que la presentación se realizará en la TV y su iPad le mostrará la interfaz del presentador, permitiéndole controlar las diapositivas.

Objetivos:

En este capítulo aprenderá a utilizar la aplicación Mapas para encontrar sitios y averiguar direcciones.

Encontrar un sitio.

Buscar lugares y cosas.

Cómo llegar.

Añadir a favoritos.

Cómo se utilizan las vistas.

Conocer el estado del tráfico.

14.Navegar con Mapas

La aplicación Mapas es un magnífico medio para planificar un viaje, ya sea a la frutería de la esquina o por todo el país. En iOS 6 se ha revisado completamente la aplicación Mapas, que anteriormente mostraba los mapas de Google. Apple posee ahora su propio sistema de mapas. Si ha utilizado la aplicación antigua, esta le resultará familiar en cuanto a su funcionamiento y la distribución de los controles aunque los mapas en sí son muy diferentes.

ENCONTRAR UN SITIO

Probablemente, lo más sencillo que se puede hacer en Maps sea encontrar un sitio.

1. Pulse en la aplicación Mapas de su pantalla de inicio.

2. Pulse en el campo de búsqueda.

3. Escriba el nombre de un lugar.

4. Pulse en el botón de **Buscar** del teclado en pantalla.

5. El mapa se desplazará hasta ese lugar y hará un zoom.

¿Qué se puede buscar?

Puede buscar direcciones específicas. También puede utilizar el nombre de un sitio o persona y Mapas hará lo posible por localizarlo. Por ejemplo, puede introducir los códigos de tres letras que identifican a los aeropuertos, nombres de edificios o monumentos, o intersecciones de calles. La búsqueda recuerda cuál es el mapa visualizado actualmente, de modo que si busca primero por un área general, como por ejemplo Andalucía, y luego el nombre de un edificio, intentará localizar primero el edificio en Andalucía antes de buscar en otra parte del mundo.

6. Pulse en el botón **i** que hay junto al nombre del lugar para obtener más información.

7. Utilice el botón **Añadir a Contactos** para añadir el nombre, la dirección, el número de teléfono y otros datos a su aplicación Contactos.

8. Utilice el botón **Favoritos** para añadir el lugar a Mapas como marcador.

9. Pulse en **Reseñas** para leer reseñas del lugar en caso de que se trate de una empresa o algo susceptible de tener reseñas en Yelp.

10. Pulse fuera del área de información y pruebe a arrastrar y pellizcar los mapas para irse acostumbrando a la respuesta de la aplicación.

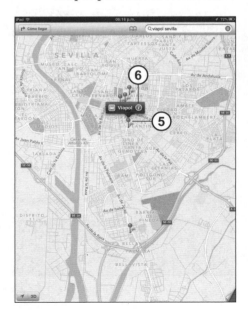

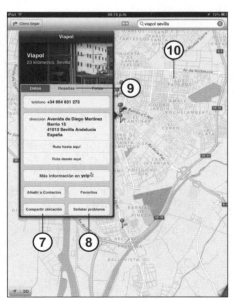

¿Dónde estoy?

¿Le gustaría posicionar rápidamente el mapa en su ubicación actual? Pulse en el botón GPS (la pequeña flecha de la esquina inferior izquierda de la pantalla). Aunque su iPad no lleve integrado un GPS, intentará averiguar su ubicación actual basándose en las redes inalámbricas que encuentre.

BUSCAR LUGARES Y COSAS

También puede utilizar Mapas para buscar algo que tenga más de una ubicación. Por ejemplo, podría buscar alguna de las tiendas de ordenadores de su cadena favorita.

1. Al abrir Mapas, verá la última zona que consultó. Si no es su ubicación actual, búsquela o pulse el botón del GPS para acceder a ella.

2. Pulse en el campo de búsqueda e introduzca el nombre de una tienda.

3. En el mapa aparecerán alfileres rojos indicándole todos los lugares que coinciden con el término de búsqueda en el área general. Puede que vea algunos otros puntos que representan otras ubicaciones potenciales. Pellizque para hacer zoom y ampliar la imagen o para alejarse y visualizar un área más grande.

4. Pulse en un alfiler rojo para ver el nombre del lugar y mostrar el botón **i** que le permite obtener más información.

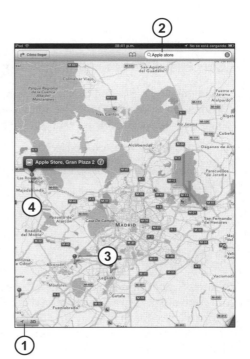

A veces es bueno generalizar

No se restrinja siempre a nombres específicos como "Apple store". Puede escribir términos generales como "café" o "restaurante" para obtener un conjunto de resultados más amplio.

A veces se equivoca

La base de datos de mapas es enorme, y eso implica que puede contener errores. Hay veces en que una dirección no es correcta o la información está obsoleta, de modo que puede encontrarse con una zapatería cuando lo que buscaba era su restaurante favorito.

Siri: Busca sitios en el mapa

Puede pedirle a Siri que localice sitios aunque no se encuentre en la aplicación Mapas. En la interfaz de Siri aparecerá un pequeño mapa, en el que podrá pulsar para abrir la aplicación, ya centrada en ese lugar. Pruebe con frases como:

"¿Dónde está la torre Eiffel?".

"Muéstrame en el mapa la calle de Hortaleza en Madrid".

"Busca cines en Murcia".

CÓMO LLEGAR

La nueva aplicación Mapas de iOS tiene algo que la anterior no tenía: una guía paso a paso para llegar a una dirección. Si no está en movimiento, deberá conformarse con un mapa y una lista de direcciones. Pero si dispone de una conexión a Internet por móvil, podrá utilizar su iPad como si fuera el sistema de navegación de su coche, en el que una voz le irá guiando.

1. En Mapas, pulse el botón **Cómo llegar**. Puede que, al hacerlo, la aplicación le pida su autorización para utilizar su ubicación actual.

2. En la parte superior aparecen dos campos. El campo izquierdo ya está relleno con su ubicación actual. Cambie la ubicación pulsando en la **X** del campo para limpiarlo y escribir una dirección nueva.

3. Pulse en el segundo campo para escribir la ubicación de destino. En la lista inferior se mostrarán algunas sugerencias. Puede pulsar sobre una sugerencia para seleccionarla como destino.

4. Elija el medio de transporte. Mapas le puede indicar cómo llegar en coche, andando o en transporte público.

5. Pulse el botón **Ruta**.

6. Las direcciones se muestran en el mapa con una línea azul. Puede que para ver la ruta completa tenga que pellizcar para hacer un zoom y alejar la imagen.

7. Puede que también se indique alguna ruta alternativa. Para cambiar a una de estas rutas, pulse sobre su etiqueta.

8 Pulse en el botón **Inicio** para recorrer la ruta paso a paso.

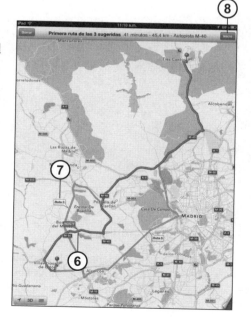

9. La instrucción actual se mostrará en la parte superior de la pantalla.

10. Pulse sobre la siguiente instrucción para pasar a ella si bien se desplazará hacia la izquierda cuando haya completado la anterior. También puede hacer un barrido de izquierda a derecha para ver las instrucciones siguientes.

11. Pulse en **Visión general** para acceder temporalmente a una vista del mapa que muestre la ruta completa.

12. Cuando haya terminado de utilizar la funcionalidad de direcciones, pulse en **Final** para volver al modo normal del mapa.

13. Pulse en el botón de la lista para ver las direcciones como una lista de textos más sencilla.

Rutas más complejas

Lamentablemente, Mapas no le permite tener rutas de más de dos puntos ni pulsar en mitad de una ruta. Como alternativa, puede utilizar el navegador Safari para acceder a la aplicación de mapas de Google: http://maps.google.com.

Instrucciones paso a paso habladas

A aquellos que tengan una conexión móvil inalámbrica en su iPad, las instrucciones paso a paso les serán mucho más útiles pues podrán utilizar su conexión móvil mientras conducen, de modo que Mapas siga el recorrido actualizando los pasos de la ruta según avancen por ella. Incluso pueden recibir instrucciones habladas al acercarse a cada giro, con lo que no tendrán que apartar los ojos de la carretera.

Siri: Llévame

El modo más sencillo de hacer que la aplicación Mapas le muestre direcciones es preguntarle a Siri. Tenga abierta o no la aplicación, pruebe con frases como:

"¿Cómo se va al aeropuerto de Málaga?".

"Llévame a la cafetería más cercana".

"Muéstrame la ruta a Montilla".

"Llévame a mi casa".

AÑADIR A FAVORITOS

Si ve que busca con frecuencia la misma dirección en Mapas, lo mejor es que la añada a sus favoritos.

1. Busque un sitio en Mapas.

2. Pulse en el botón **i** para mostrar el cuadro de información de ese sitio.

3. Pulse en **Favoritos**.

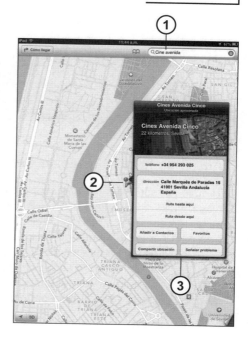

4. Modifique el nombre del sitio, si lo desea.

5. Pulse en **Guardar**.

6. Para ver sus marcadores, pulse el botón **Favoritos** en la parte superior de la pantalla.

7. Pulse en **Recientes** o **Contactos,** en la parte inferior del menú de favoritos, para ver una lista de los sitios visitados recientemente o para ver las direcciones almacenadas para un contacto.

8. Pulse en el nombre de un marcador para acceder a ese lugar con el mapa.

9. También puede pulsar en **Editar** para eliminar favoritos.

Añadir un favorito manualmente

También puede crear un marcador manualmente, colocando un alfiler en el mapa. Pulse en cualquier punto del mapa y mantenga pulsado para pinchar un alfiler morado en esa posición. Una vez colocado, podrá arrastrar el alfiler hasta otro punto en caso de que no esté en el sitio exacto en el que lo quería poner. Estos alfileres tienen direcciones y un botón **i**, como cualquier otra dirección buscada. Por tanto, podrá pulsar en esta **i** y utilizar el botón **Favoritos** para añadirlo a sus marcadores favoritos. Esto es muy útil cuando la dirección que le da la aplicación no es del todo correcta.

CÓMO SE UTILIZAN LAS VISTAS

Una de las mejores cosas de los mapas online son las vistas de satélite y de calle. Son tan divertidas como útiles y mucho más interesantes que los mapas tradicionales.

Vista de satélite

La vista de satélite es como la vista estándar de Mapas, pues le permite buscar lugares y direcciones además de proporcionarle una panorámica más real de lo que hay en cada sitio.

1. En Mapas, pulse sobre la esquina inferior derecha de la página, la que está un poco doblada.

2. Pulse en **Satélite** para ver el mapa desde la vista de satélite. Si le parece algo confusa, seleccione **Híbrido** para obtener una vista de satélite que también le proporcione referencias que le permitan identificar los elementos del mapa.

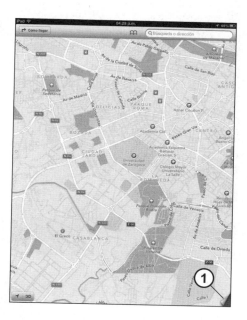

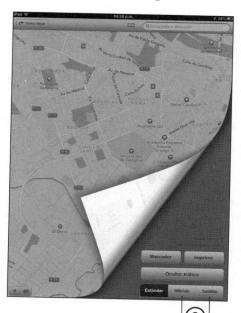

3. Haga el movimiento de pellizcar a la inversa sobre el centro del mapa para hacer zoom.

4. Una vista más cercana le permitirá ver mejor el aspecto que tienen las calles.

Cómo utilizar la vista 3D

Los antiguos mapas de Google tienen Street View, que nos permite ver imágenes tomadas a pie de calle. En la nueva aplicación Mapas de Apple, esto se ha sustituido por una vista aérea en 3D, con imágenes tomadas desde aeroplano que incluyen todos los lados de los edificios de las principales áreas del centro de las ciudades.

1. Empiece por realizar una búsqueda en Mapas utilizando la vista estándar. Pulse el botón **3D**.

2. La vista plana cenital se sustituye por una vista en perspectiva. Pellizque para hacer zoom y acercarse más.

3. Los edificios más grandes de las áreas del centro de la ciudad son ahora objetos tridimensionales. Utilice dos dedos para rotar la imagen y poder ver los edificios desde todos los ángulos.

4. Pulse en la esquina inferior derecha y seleccione **Satélite**. Podrá seguir haciendo zoom y rotando en la vista satélite, e incluso acercarse tanto al suelo que casi podrá moverse entre los edificios.

5. Pulse aquí para desactivar el modo 3D y volver al modo estándar de la vista plana cenital.

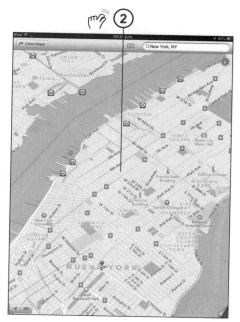

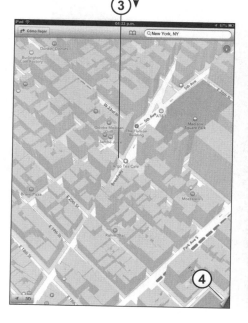

En mi ciudad no

Aunque la vista 3D es algo fantástico para los que viven en las grandes ciudades, no está disponible para todos los sitios. Para tener modelos 3D y texturas, hace falta tomar fotografías de la ciudad desde un aeroplano alquilado por Apple. Hasta ahora han fotografiado muchas de las principales ciudades del mundo, pero no todas.

CONOCER EL ESTADO DEL TRÁFICO

La aplicación Mapas incluye un medio para conocer el estado y la información actualizada del tráfico.

1. Muestre una vista de Mapas en la que haya algunas carreteras y avenidas principales.

2. Pulse sobre la esquina de la página.

3. Active **Mostrar tráfico**.

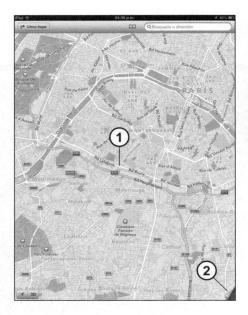

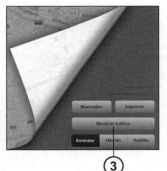

4. El mapa mostrará unas líneas rojas y amarillas en aquellos puntos en los que el tráfico sea lento.

5. También verá iconos indicando los accidentes, las carreteras cortadas y las obras. Pulse sobre cualquiera de ellos para obtener más detalles.

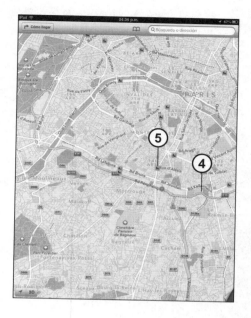

Siri: ¿Cómo está el tráfico?

Puede acceder rápidamente a un mapa con el estado del tráfico activado preguntándole a Siri:

"¿Cómo está el tráfico?".

"¿Cómo está el tráfico en Oviedo?".

Objetivos:

Aparte de las funcionalidades básicas de su iPad, debe aprender a agregar más aplicaciones utilizando la App Store.

Comprar una aplicación.

Organizar las aplicaciones de su iPad.

Crear carpetas de aplicaciones.

Visualizar las aplicaciones en ejecución.

Salir de aplicaciones.

Encontrar buenas aplicaciones.

Utilizar las aplicaciones de iPhone/iPod touch.

Encontrar ayuda sobre las aplicaciones.

15.El mundo de las aplicaciones

Las aplicaciones que vienen con su iPad y la suite iWork son sólo la punta del iceberg. La App Store contiene miles de aplicaciones de desarrolladores externos, y cada día se agregan más. La App Store es el lugar al que ir de compras para adquirir nuevas aplicaciones, incluso muchas de ellas son gratuitas. También puede organizar los iconos de las aplicaciones que hay en las páginas de inicio de su iPad para tenerlos más ordenados.

COMPRAR UNA APLICACIÓN

Para añadir una aplicación nueva a su iPad, deberá visitar la App Store. Para ello (a ver si lo adivina), utilice la aplicación App Store de su pantalla de inicio.

1. Pulse en el icono **App Store** de su pantalla de inicio.

2. Verá las aplicaciones destacadas en la parte superior de la pantalla.

3. Haga un barrido a izquierda o derecha en la sección Nuevo y destacado para ver más aplicaciones destacadas. Puede hacer lo mismo en las secciones inferiores, que cambian con frecuencia para destacar tipos distintos de aplicaciones.

4. Desplácese hacia abajo para ver más aplicaciones destacadas.

5. Pulse en **Top charts** para ver las aplicaciones que más dinero han generado y las gratuitas.

6. Pulse en **Más** para ver una lista de categorías de aplicaciones.

7. Pulse en cualquier categoría para acceder a la página de aplicaciones destacadas de esa categoría.

8. Utilice el cuadro de búsqueda para buscar una aplicación con el teclado.

9. Los botones de la parte superior le permiten filtrar por aplicaciones para iPad y aplicaciones para iPhone. Las aplicaciones optimizadas para funcionar con ambos tamaños de pantalla aparecerán en ambas.

10. Seleccione si desea ver las aplicaciones gratuitas, las de pago o ambas.

11. Escoja una categoría para reducir los resultados de la búsqueda.

12. Escoja cómo desea que se ordenen los resultados: por relevancia, popularidad, puntuaciones o fecha de publicación.

13. Pulse sobre una aplicación para leer más sobre ella.

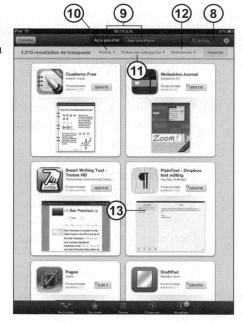

Canjear códigos

Si accede a la parte inferior de cualquier página de listados de la App Store, verá un botón con el texto **Canjear**. Utilícelo para canjear cualquier código que tenga para obtener una aplicación gratuita. Es posible que lo haya conseguido porque alguien le ha enviado una aplicación como regalo, aunque los desarrolladores también envían algunos de estos códigos cuando lanzan una nueva aplicación o versión.

Descargar automáticamente aplicaciones nuevas

Si accede a la aplicación Ajustes, mire en la categoría iTunes Store y App Store. Allí puede activar las descargas automáticas de aplicaciones, música y libros. Una vez activadas, al comprar en iTunes una aplicación con su PC, su Mac u otro dispositivo iOS con el mismo ID de Apple, esta aplicación se enviará también automáticamente a su iPad.

14. La página de la aplicación muestra capturas de pantalla, otras aplicaciones de la misma empresa y reseñas de los usuarios.

15. Para comprar una aplicación, pulse en el precio que hay a la izquierda, junto al icono grande. Pulse sobre él de nuevo. Si ya la ha comprado, el botón pondrá **Abrir** y podrá iniciar la aplicación pulsándolo.

16. Desplácese hacia abajo para leer la descripción de la aplicación.

17. Pulse aquí para leer las valoraciones y reseñas de la aplicación.

18. Desplácese a izquierda y derecha para ver las capturas de pantalla de la aplicación.

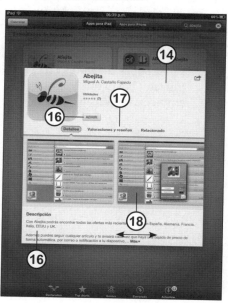

19. Cuando compre una aplicación, podrá ver el progreso de la instalación desde la página de información de la App Store o desde la ubicación del icono de la aplicación en su pantalla de inicio.

Volver a descargar una aplicación que ya ha comprado

Cuando compre una aplicación, será suya para siempre; al menos, mientras siga utilizando el mismo ID de Apple. En la parte inferior de la aplicación App Store, verá un botón que dice **Comprado**. Pulse en él para ver una lista de todas las aplicaciones que ha comprado, aunque ya las haya eliminado de este iPad o nunca haya llegado a descargárselas. Quizá compró anteriormente alguna aplicación en su iPhone o iPod Touch. Puede saltar rápidamente a cualquiera de estas aplicaciones y descargársela en su iPad sin tener que pagar por ella una segunda vez.

ORGANICE LAS APLICACIONES DE SU IPAD

No tardará mucho en tener varias páginas de aplicaciones. Por suerte, puede organizar los iconos de sus aplicaciones de dos maneras. La primera es hacerlo en el iPad.

1. Pulse sobre un icono y mantenga pulsado hasta que los iconos empiecen a vibrar

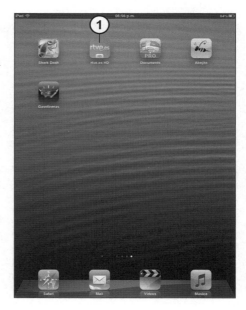

2. El icono que está pulsando es un poco más grande que los demás; arrástrelo y suéltelo en una nueva posición. Para llevarse el icono a la siguiente página de aplicaciones, arrástrelo hasta el lado derecho de la pantalla.

3. Para borrar una aplicación de su iPad, pulse la **X** de la esquina superior izquierda del icono. Esta **X** no aparece en todas las aplicaciones, puesto que el conjunto de aplicaciones que viene por defecto con su iPad no se puede eliminar.

4. Cuando haya terminado, pulse el botón **Inicio**.

El borrado no es definitivo

Si sincroniza su iPad con iTunes en un ordenador, este borrado de aplicaciones no es para siempre. Todas las aplicaciones permanecen en la biblioteca de iTunes de su ordenador a menos que las elimine. Por tanto, puede quitar la aplicación de su iPad y ver que sigue en su ordenador, por si quiere seleccionarla y sincronizarla de nuevo con su iPad. Además, siempre puede volver a descargarse de la App Store una aplicación que se haya comprado anteriormente sin tener que pagar de nuevo. Si cree que no va a necesitar una aplicación durante un tiempo, puede borrarla y volver a agregarla más adelante.

¿Qué más puedo hacer?

Estos son algunos otros consejos para que le sea más fácil mantener organizadas sus aplicaciones:

▶ Puede soltar una aplicación y coger luego otra para moverla. Si las aplicaciones siguen vibrando, puede mover los iconos.

▶ Puede arrastrar las aplicaciones dentro y fuera del Dock de la parte inferior, en el que caben hasta seis aplicaciones. Las que estén en el dock se mostrarán en todas las páginas de su pantalla de inicio.

▶ Puede arrastrar una aplicación a la derecha de la última página de aplicaciones para crear una nueva página de su pantalla de inicio.

Ordenar las aplicaciones con iTunes

También puede ordenar sus aplicaciones cuando sincronice con iTunes en su PC o Mac. Sólo tiene que seleccionar el iPad en la barra lateral izquierda de su ventana de iTunes y, luego, elegir las aplicaciones en la derecha. También puede mover aplicaciones entre pantallas y decidir qué aplicaciones se sincronizarán entre su ordenador y su iPad.

CREAR CARPETAS DE APLICACIONES

Además de repartir sus aplicaciones por varias páginas, también puede agruparlas en carpetas para hacer que varias aplicaciones sólo ocupen la posición de un icono en la pantalla.

1. Localice varias aplicaciones que le gustaría meter en un mismo grupo. Pulse sobre una de ellas y mantenga pulsado hasta que los iconos comiencen a vibrar.

2. Sin dejar de pulsar con el dedo, arrastre el icono hasta otro icono que desee agrupar con el anterior.

3. Se mostrará una carpeta de aplicaciones y el resto de iconos se difuminarán para que se pueda centrar en su nueva carpeta de aplicaciones.

4. Cambie el nombre de la carpeta de aplicaciones.

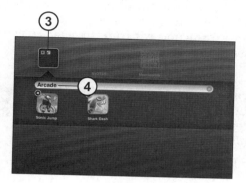

5. Pulse dos veces en el botón de inicio para cerrar el editor de nombres. Pulse de nuevo para volver a su pantalla de inicio.

6. Ahora la carpeta de aplicaciones aparece en su pantalla de inicio. Puede arrastrar otras aplicaciones a esta carpeta siguiendo los pasos 1 y 2.

Una vez creada una carpeta, podrá acceder a las aplicaciones que contiene pulsando, primero, en la carpeta y, después, en la aplicación que desea abrir. Si pulsa sobre cualquiera de las aplicaciones de la carpeta y mantiene la pulsación, podrá reordenar sus iconos o arrastrar una aplicación para sacarla de la carpeta.

VISUALIZAR LAS APLICACIONES QUE ESTÁN EN EJECUCIÓN ACTUALMENTE

Puede tener en su iPad muchas aplicaciones ejecutándose a la vez. De hecho, cuando abra una aplicación, seguirá ejecutándose por defecto aunque cambie a la pantalla de inicio e inicie otra aplicación. Las aplicaciones que se ejecutan en segundo plano utilizan pocos recursos o ninguno, como si estuvieran en pausa. Puede volver a ellas en cualquier momento y la mayoría de las aplicaciones seguirán por donde las dejó.

1. Haga una pulsación doble en el botón de inicio. Esto mostrará la lista de aplicaciones recientes en la parte inferior de la pantalla.

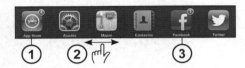

2. Puede deslizar la lista hacia los lados para ver el resto de aplicaciones que contiene.

3. Pulse sobre una aplicación para volver a ella.

4. Para salir de la lista, pulse el botón de inicio.

5. Si desliza la lista hacia la derecha para llegar al extremo izquierdo de la lista de aplicaciones, verá los controles de la aplicación de audio que utilice actualmente, como por ejemplo la aplicación Música.

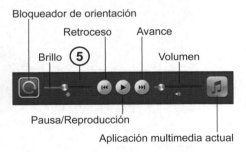

Pasar de una aplicación a otra con un gesto

Si tiene varias aplicaciones en ejecución, puede moverse rápidamente entre ellas utilizando gestos de los dedos. Basta con que haga un barrido a izquierda o derecha con cuatro dedos al mismo tiempo. De este modo, pasará de aplicación a aplicación sin tener que volver a la pantalla de inicio o utilizar la lista de aplicaciones recientes.

SALIR DE APLICACIONES

Aunque casi nunca es necesario salir totalmente de una aplicación, puede tener un par de motivos para hacerlo. Quizá necesite cerrar la aplicación porque se ha quedado colgada, o desea iniciarla desde cero para ver la secuencia de arranque o solucionar algún problema que pueda tener el software.

1. Pulse una vez el botón de inicio para abandonar la aplicación y volver a la pantalla de inicio.

2. Haga una pulsación doble para mostrar la lista de aplicaciones recientes en la parte inferior de la pantalla.

3. Pulse en cualquiera de los iconos de aplicación de la lista y mantenga la pulsación hasta que todos empiecen a vibrar y muestren un signo menos en un círculo rojo en su esquina superior izquierda.

4. Haga un barrido de izquierda a derecha para localizar la aplicación de la que desea salir.

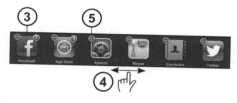

5. Pulse sobre el círculo rojo con el signo menos que hay sobre la aplicación de la que desea salir.

Hay un segundo método que se puede utilizar cuando la aplicación es la que está actualmente en pantalla.

1. Pulse el botón **Reposo/Activación** de la parte superior de su iPad y manténgalo pulsado durante tres segundos. Verá que aparece el control Apagar.

2. En vez de utilizar el control Apagar o pulsar el botón **Cancelar**, mantenga pulsado el botón **Inicio** durante varios segundos. Eso hará que se cierre la aplicación y regrese a su pantalla de inicio.

ENCONTRAR BUENAS APLICACIONES

Encontrar buenas aplicaciones podría ser el principal problema que podrían tener los usuarios del iPad, pues encontrar lo que buscan entre las más de 140.000 aplicaciones de la App Store puede resultar complicado. Vamos a ver algunos consejos.

1. Eche un vistazo a las aplicaciones destacadas de la App Store, aunque debe tener en cuenta que éstas suelen pertenecer a grandes empresas con marcas muy asentadas en el mercado.

2. Acceda a iTunes desde su ordenador, localice una aplicación similar a lo que busca y consulte la sección Relacionado.

3. Busque versiones de prueba, cuyos nombres suelen acabar en "Lite" o "Gratis". Busque por el nombre de la aplicación para ver si existen otras versiones. Utilice las versiones gratuitas para ver si vale la pena pagar por la versión completa o mejorada de la aplicación.

4. Pulse en Valoraciones y reseñas.

5. Lea las reseñas pero no se fíe del todo de ellas. Los usuarios ocasionales no son siempre la mejor fuente de información.

Utilizar recursos externos a la App Store

Muchos de lugares en los que puede encontrar aplicaciones no forman parte de la App Store. Aquí tiene algunas sugerencias:

▶ Busque en Google. Por ejemplo, si necesita otra aplicación de hojas de cálculo, busque por "app ipad hojas de cálculo".

▶ Cuando encuentre lo que quería, pruebe a buscar de nuevo en Google utilizando el nombre de la aplicación seguido de la palabra "reseña".

▶ Busque sitios con descripciones y reseñas de aplicaciones. Hay muchos, si bien tenga presente que algunos sitios reciben dinero de los desarrolladores para que comenten su aplicación, por lo que las reseñas podrían no ser demasiado objetivas.

▶ Puede consultar la lista de aplicaciones recomendadas del autor en http://macmost.com/featurediphoneapps.

UTILIZAR LAS APLICACIONES DE IPHONE/IPOD TOUCH

Una de las mejores cosas de utilizar aplicaciones en el iPad es que puede utilizar casi cualquier aplicación de la App Store de Apple, incluyendo las creadas originalmente para iPhone/iPod touch.

Desde la perspectiva del propietario de un iPad, en la tienda hay cuatro tipo de aplicaciones. Unas cuantas son sólo para iPhone/iPod touch. Éstas no puede utilizarlas, como es lógico. La mayoría son aplicaciones para iPhone/iPod touch que también funcionan en el iPad. Estas aplicaciones aparecerán en el centro de la pantalla o con el doble de tamaño. Puede que algunas funcionen mejor que otras en el iPad. También encontrará aplicaciones que sólo funcionan en el iPad. Si pulsa el botón **Apps para iPad** de la parte superior de la pantalla de resultados, verá aplicaciones que sólo son para iPad o que funcionan para iPad e iPhone pero han sido diseñadas para utilizarse con el tamaño de pantalla que ofrece el iPad. Si, por el contrario, escoge aplicaciones para iPhone, encontrará algunas que funcionan en ambos dispositivos y otras que sólo sirven para el tamaño de pantalla del iPhone.

Las aplicaciones que sólo funcionan con el tamaño de pantalla del iPhone se pueden redimensionar para que resulte más fácil trabajar con ellas en el iPad. En algunos casos, las aplicaciones creadas para el iPhone funcionan mejor en realidad en el iPad porque es más fácil ver los gráficos y tocar los botones.

1. Para agrandar la aplicación, pulse en el botón **2x** de la esquina inferior derecha.

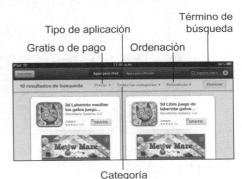

Tipo de aplicación
Término de búsqueda
Gratis o de pago
Ordenación
Categoría

2. Si la aplicación se ve borrosa al agrandarla, pulse el botón **1x** para volver al tamaño normal.

ENCONTRAR AYUDA SOBRE LAS APLICACIONES

Las aplicaciones se programan rápidamente, con independencia de que la empresa creadora sea grande o pequeña. Debido a las restricciones que aplica Apple al proceso de distribución, resulta complicado probarlas, por lo que es habitual encontrarse con errores, problemas o simplemente con la necesidad de hacer alguna pregunta.

1. Mire en la tienda si hay algún modo de contactar con el desarrollador. Por ejemplo, en la aplicación de USA Today, puede pulsar en el icono de la rueda dentada de la esquina superior derecha para ver las opciones de soporte.

2. Pulse en Email Support (o alguna opción similar si se encuentra en otra aplicación) para enviarle un correo electrónico directamente al desarrollador.

3. Si no encuentra ningún modo de contactar con los desarrolladores en la propia aplicación, abra la App Store y busque la aplicación allí.

4. Seleccione la aplicación para ver su información.

5. Acceda a la sección Valoraciones y reseñas.

6. Pulse en el botón **Soporte de la app**.

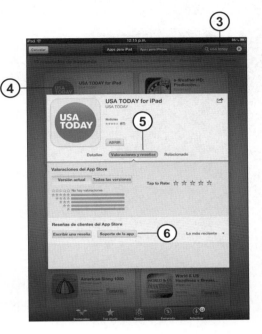

Compartir con la familia

Cuando compre una aplicación, la podrá utilizar en cualquier iPad (o iPad/iPod touch si también funciona en éstos) registrado en su cuenta de iTunes. Por tanto, si comparte una cuenta de iTunes con toda su familia, también puede compartir sus aplicaciones. No hace falta que las compre de nuevo para un segundo iPad.

Autorizar varias cuentas

En iTunes de su PC o Mac, haga clic en el menú de la esquina superior derecha y seleccione iTunes Store>Dar autorización a este equipo para autorizar esa copia de iTunes para más de una cuenta. Hecho esto, podrá descargarse aplicaciones de iTunes compradas desde cualquiera de estas cuentas. Además, la funcionalidad "Compartir en casa" de iTunes le permite llevar aplicaciones de un ordenador a otro de la misma red para que se puedan descargar en iTunes y sincronizar después con distintos dispositivos con iOS.

Objetivos:

En este capítulo echaremos un vistazo a varias aplicaciones que debería agregar a su iPad para que sea aún más útil.

Facebook.

iTap VNC.

GoodReader.

NewsRack.

Flipboard.

Añadir un diccionario.

Skype para iPad.

Pegar notas en la pantalla de inicio o de bloqueo.

Crear notas multimedia en la nube con Evernote.

Tomar notas a mano.

Epicurious.

Otras aplicaciones útiles.

16. Las aplicacionesmás populares e imprescindibles

Pregúntele a cualquiera cuál es la mejor funcionalidad del iPad; la respuesta será siempre la misma: ¡todas las aplicaciones! La App Store, aparte de contener cientos de miles de aplicaciones útiles, interesantes y divertidas, crece a diario gracias a las incorporaciones realizadas por Apple y los desarrolladores externos. Vamos a ver cómo utilizar algunas de las aplicaciones para iPad más populares y las tareas que puede realizar con ellas.

FACEBOOK

Ahora hay mucha gente que pasa más tiempo en Facebook que en el total del resto de sitios de Internet que visita. Si usted es uno de ellos, la aplicación oficial de Facebook probablemente sea la primera aplicación externa que debería instalar en su iPad.

Con ella podrá consultar su muro, publicar actualizaciones de estado, enviar mensajes, subir fotos y hacer la mayoría de las cosas que puede hacer en el sitio Web de Facebook pero desde un entorno diseñado para los usuarios de iPad.

1. Busque la aplicación de Facebook en la App Store e instálela.

2. Introduzca la dirección de correo y la contraseña que utiliza para acceder a Facebook.

3. Pulse en **Iniciar sesión**.

4. Desplácese arriba y abajo para ver todas sus noticias.

5. Puede indicar que le gusta una publicación igual que si estuviese en el sitio Web de Facebook.

6. También puede pulsar aquí para añadir un comentario.

7. Consulte y gestione sus solicitudes de amistad.

8. Visualice los mensajes directos y envíe mensajes a sus amigos.

9. Consulte su lista de notificaciones de Facebook.

10. Pulse en este botón o haga un barrido de izquierda a derecha para mostrar el panel lateral.

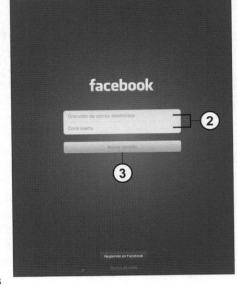

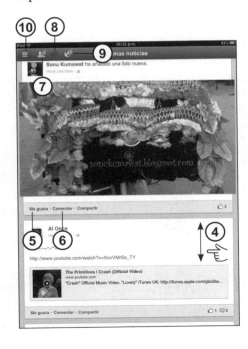

11. Puede examinar su propio muro y editar su perfil.

12. Le muestra una lista de sus amigos y una vista de su información y su muro.

13. También puede publicar en los muros de las páginas de Facebook en las que participe.

14. Pulse en Estado para actualizar su estado de Facebook añadiendo una publicación a su muro.

Publicar desde fuera

En iOS 6 no necesita utilizar la aplicación de Facebook para publicar fotografías. Puede hacerlo directamente desde la aplicación Fotos y otras aplicaciones que trabajen con fotos. Pero, primero, debería acceder a la sección Facebook de la aplicación Ajustes e introducir de nuevo su correo electrónico y su contraseña. De este modo, le estará dando permiso a iOS para utilizar su cuenta de Facebook para publicar. Hecho esto, podrá realizar acciones como publicar fotos desde su aplicación Fotos, publicar enlaces desde Safari o pedirle a Siri que actualice su estado de Facebook.

15. Escriba el texto de su actualización de estado.

16. Agregue a la actualización los amigos con los que está.

17. Añada una foto de su biblioteca de fotos, o haga una nueva con la cámara del iPad.

18. Escoja los grupos que quiere que vean su actualización.

19. Publique la actualización en Facebook.

ITAP VNC

Su iPad puede ser una ventana a su PC o Mac. Mediante la tecnología VNC (*Virtual Network Computing*, Computación virtual en red), puede controlar su ordenador igual que si estuviera sentado delante de él (a excepción de que no podrá escuchar la salida del sonido).

1. Busque iTap VNC en la App Store y descárgueselo. Pulse sobre el icono para iniciar la aplicación.

2. En la pantalla que le muestra sus favoritos actuales, pulse en Add Manual Bookmark (Añadir favorito manualmente).

3. En Host, introduzca la dirección IP de su ordenador.

4. Pulse en Credentials (Credenciales) e introduzca su ID y su contraseña para acceder a su ordenador mediante VNC.

5. Pulse en **Save** (Guardar).

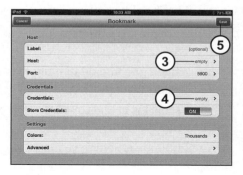

Configure VNC en su ordenador

VNC necesita también un ordenador. Deberá configurar su ordenador con Windows o su Mac para que acepte la conexión y le permita a su iPad tomar el control de la pantalla. En un Mac puede hacerlo marcando Compartir pantalla en el panel Compartir de Preferencias del sistema. En Windows se llama Escritorio Remoto aunque también puede utilizar otro servidor VNC distinto.

Otras aplicaciones VNC

Existen muchas otras aplicaciones VNC, como iTap VNC. Pruebe también iTeleport para iPad, Desktop Connect y LogMeIn Ignition. Otra aplicación un poco distinta que puede mirar es Air Display, que le permite utilizar su iPad como una pantalla adicional de su PC o Mac. Si utiliza Windows y Escritorio Remoto en lugar de VNC, también tiene disponible la aplicación iTap RDP.

6. Hecha la configuración inicial, la próxima vez que utilice iTap VNC se le pedirá que seleccione el ordenador de una lista de favoritos.

7. Una vez conectado, verá una parte de la pantalla de su ordenador.

¿Por qué no funciona?

Intentar que una conexión VNC funcione puede resultar frustrante. No tiene nada que ver con el iPad, pues hacer que funcione entre un portátil y un ordenador tiene las mismas dificultades. Con que su router de red o el módem con el que accede a Internet no esté correctamente configurado, no se conectará y probablemente no sepa por qué. La mayoría de las veces VNC se conecta sin problemas pero, si no ha sido de los afortunados, puede que tenga que experimentar un poco con los ajustes de su equipo de red o incluso llamar a un experto para hacer que funcione.

8. Pulse sobre la pantalla y arrástrela para verla completa.

9. Pellizque para ampliar y reducir la imagen.

10. Para escribir en un formulario de una aplicación desde un teclado, seleccione primero la aplicación en la que desea escribir, como si estuviera haciendo clic en ella con su ordenador.

11. Haga un barrido con tres dedos sobre la pantalla de su iPad para abrir el teclado.

12. Para ocultar el teclado, utilice el botón de la esquina inferior derecha.

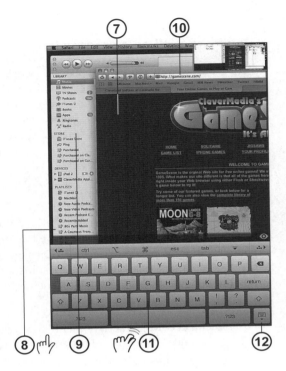

GOODREADER

Aunque iBooks es una aplicación estupenda para visualizar documentos, los que le den especial importancia a la colección de documentos de su iPad habrán estado mirando otras aplicaciones que incluyan más funcionalidades aparte de la simple posibilidad de leerlos. Aplicaciones como GoodReader le permiten crear una biblioteca de archivos que puede visualizar como documentos PDF o Word, imágenes, textos, etc., a los que podrá acceder en cualquier momento.

1. Busque la aplicación GoodReader en la App Store e instálela.

2. En el lado izquierdo de la pantalla principal de GoodReader, verá los documentos que tiene en su iPad.

3. En el lado derecho hay varios controles que le permiten, por ejemplo, navegar por Internet o introducir una URL para descargarse un documento de la Web.

4. También puede ver los sitios de Internet para los que ha configurado el acceso, como por ejemplo su cuenta de Dropbox.

5. Pulse en **Add** (Añadir) para ver más servicios de Internet.

6. Puede acceder a los documentos que tiene en Google Docs.

7. Puede utilizar Dropbox u otro de los principales servicios de almacenamiento en la nube.

8. También puede utilizar un servicio estándar para compartir datos en Internet, como el FTP.

9. O acceder a un Mac utilizando el servicio estándar para compartir archivos.

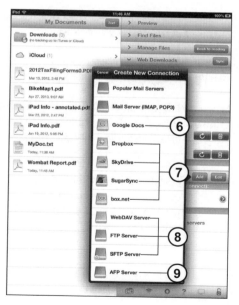

Transferir archivos por iTunes

También puede transferir archivos a GoodReader entre su PC o Mac y su iPad cuando sincronice sin utilizar ningún servicio especial de Internet ni configurar nada para compartir archivos. Consulte la sección sobre cómo sincronizar documentos del capítulo 3.

10. Pulse en un documento para abrirlo.

11. Se pueden visualizar archivos de todo tipo, como documentos PDF, Pages, Word, textos, imágenes y archivos de audio.

12. Los documentos se abren en pestañas, lo que le permite pasar fácilmente de un documento a otro.

13. Puede utilizar varias herramientas para marcar el documento con notas.

14. Puede buscar en el documento y utilizar varias herramientas de lectura. Si el documento es editable, como un documento de texto, entonces podrá utilizar herramientas de edición con él.

15. Pulse para volver a su lista de documentos y servicios.

NEWSRACK

Si lee muchos blogs y noticias en Internet, es probable que utilice RSS de vez en cuando para visualizar estas fuentes como un *feed*, en vez de visitar el sitio Web. NewsRack es un lector de *feeds* para iPad.

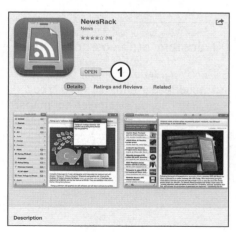

1. Busque en NewsRack en la App Store y agréguelo a sus aplicaciones. Una vez instalada la aplicación, ábrala.

2. Pulse en **Add Feeds** (Agregar feeds), o utilice los ajustes de sincronización si desea emplear su cuenta de Google Reader.

3. Pulse en el botón **Add Feed** (Agregar feed). Manténga por ahora el iPad en posición vertical porque el aspecto de la pantalla en la orientación horizontal es muy diferente.

4. En el campo Enter Feed URL, introduzca el nombre de dominio de un sitio Web.

5. Pulse en Show Feeds (Mostrar feeds). Aparecerá una lista de los *feeds* RSS del sitio.

Encontrar feeds RSS

Los feeds RSS están por todas partes. Es probable que tanto su periódico local, como sus blogs y revistas online favoritas tengan todos sus respectivos *feeds*. Pruebe a introducir en NewsRack la URL de cualquier sitio Web y vea qué *feeds* hay disponibles.

6. Pulse el botón + que hay a la izquierda de los *feeds* a los que desee suscribirse.

7. Pulse en el botón de retroceso (que aparece como **Add Feed** en este ejemplo) hasta que vea un botón **Done** (OK) que le permita finalizar la acción.

Hay muchas aplicaciones lectoras de RSS

Como el iPad es un dispositivo ideal para leer noticias, han ido apareciendo muchas aplicaciones de lectura de RSS. Otras de las más populares son Pulse News Reader, NetNewsWire, GoReader Pro y Reeder para iPad. Y si busca en la App Store por "rss reader", encontrará aún más.

Convierta el iPad en su nuevo periódico

Ya no necesita ir al quiosco de prensa a comprar el periódico en papel. Muchos de los principales periódicos y revistas se distribuyen mediante sus aplicaciones para iPad. Busque las aplicaciones de diarios y revistas como El Mundo, Público, ABC, New York Times, Fotogramas o National Geographic. Incluso hay periódicos como The Daily, que sólo tienen edición para iPad. Hasta puede crear su propio periódico utilizando varias fuentes, con la aplicación The Early Edition.

En algunos casos, la aplicación y el contenido del diario son gratuitos. A veces hay que pagar por la aplicación, pero el contenido es gratis. Otras veces, como ocurre con las revistas, se paga por cada número descargado. En el caso de periódicos como The Daily, puede suscribirse mediante un pago semanal. Puede seguir leyendo aquellos periódicos que no tienen una aplicación personalizada utilizando un navegador. Con frecuencia, encontrará en su Web noticias más recientes y actualizadas que las que contiene la edición en papel.

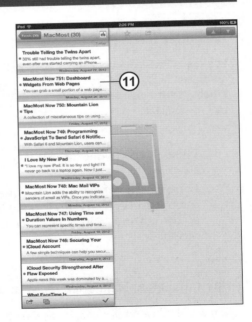

8. Pulse en **Feeds**, en la parte superior, para ver una lista de todos sus *feeds* RSS.

9. Pulse en Unread (No leídos) para ver todos los elementos no leídos de sus *feeds*.

   O bien, pulse en un único *feed* para leerlo.

10. Pulse en el botón **Edit** (Editar) para añadir más *feeds* o eliminar los existentes.

11. Verá una mezcla de todos los elementos no leídos de sus *feeds*. Pulse sobre cualquiera para leerlo.

FLIPBOARD

¿Qué le parecería tener una revista que hablara exclusivamente para usted? Bueno, al menos, sobre sus amigos y las cosas que le gustan. Esa revista existe y se llama Flipboard. Utiliza la información de sus cuentas de Facebook, Twitter y otras redes sociales para mostrar noticias, imágenes y publicaciones de sus amigos. También utiliza *feeds* RSS para mostrarle las noticias que le interesan. Para poder visualizar todas las cosas que le interesan, sólo tiene que ir pasando páginas.

1. Busque la aplicación Flipboard en la App Store. Instálela y ábrala.

2. La portada muestra las historias destacadas, que cambian cada pocos segundos. Pulse sobre la imagen para leer más.

3. Deslice el botón **Flip** hacia la izquierda para pasar a su página de inicio de Flipboard.

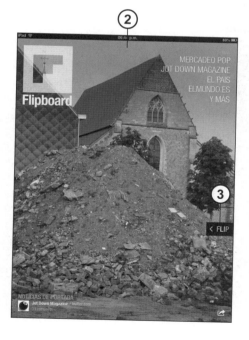

4. Las secciones corresponden a las materias o las redes sociales que haya añadido a su Flipboard.

5. Pulse en una sección para ver las historias que contiene.

6. Haga un barrido para pasar a la siguiente página de secciones.

7. Pulse sobre una historia para ver el texto y las imágenes originales.

8. Pase la página para ver más historias.

9. Regrese a la página de secciones.

10. Pulse en la etiqueta roja para ver qué redes sociales y sitios conforman su contenido de Flipboard.

11. Estos son los recursos que ha configurado hasta ahora.

12. Agregue más redes sociales y fuentes.

13. Añada algunas fuentes de noticias populares de las distintas categorías.

14. Busque noticias empleando palabras clave.

AÑADIR UN DICCIONARIO

Sería un crimen tener que llevar encima un diccionario, además del iPad. La solución obvia es hacerse con una aplicación de diccionario para iPad. La aplicación Merriam-Webster Dictionary HD se puede descargar gratuitamente de la App Store. También existe una versión premium sin publicidad que, por unos pocos euros, incluye ilustraciones e incorpora otras funcionalidades.

1. Localice la aplicación Merriam-Webster Dictionary HD en la App Store, instálela y ábrala.

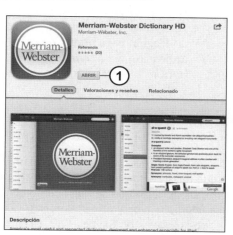

Puede utilizar cualquier otro diccionario

Obviamente, si prefiere otro diccionario que no tenga aplicación para iPad, siempre podrá marcar su sitio como favorito en Safari. También puede crear un marcador en la pantalla de inicio, como hicimos en el capítulo 7.

2. Pulse en el cuadro de búsqueda e introduzca una palabra para buscarla.

3. También puede pulsar en el botón del micrófono y decir la palabra a buscar de viva voz, algo muy útil si no sabe cómo se escribe.

4. En la pantalla aparecerán la palabra y su definición.

5. Puede pulsar aquí para escuchar cómo se pronuncia su palabra.

6. La aplicación también se puede utilizar como tesauro. En la parte inferior verá una lista de sinónimos. Pulse sobre cualquiera para saltar a esa palabra. De hecho, también puede pulsar sobre cualquier palabra azul de la definición para consultarla.

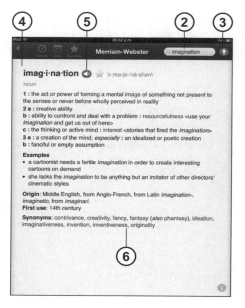

SKYPE PARA IPAD

Su iPad funciona bastante bien como teléfono cuando se utiliza una aplicación VoIP (voz sobre IP). La más conocida probablemente sea Skype.

1. Busque Skype en la App Store. Asegúrese de que busca la aplicación para iPad y no la aplicación del mismo nombre para iPhone/iPod touch. Instálela y ábrala.

Conseguir una cuenta de Skype

Para utilizar esta aplicación, necesita una cuenta de Skype. Puede obtener una cuenta gratuita en http://www.skype.com/. Si encuentra útil este servicio, es aconsejable que se haga con una cuenta de pago, que le permitirá llamar a teléfonos fijos y otros teléfonos. Con la cuenta gratuita sólo puede llamar a otros usuarios de Skype.

2. Cuando inicie la aplicación de Skype, deberá introducir su ID y contraseña e iniciar la sesión. Esto sólo lo tendrá que hacer la primera vez.

3. Utilice el teclado en pantalla para introducir un número de teléfono. Necesitará también el código del país que, en el caso de España, es el 34. Suele incluirse por defecto.

4. Pulse aquí para llamar.

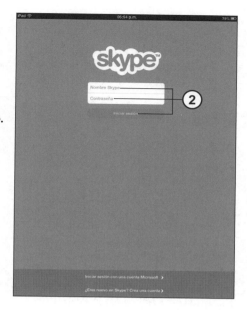

¿Cómo se coge el iPad para hablar?

El micrófono está en la parte superior del iPad, y el altavoz en la parte inferior trasera. Probablemente, lo mejor sea que coloque el iPad delante de usted y se olvide de ello. Otra opción sería que se hiciese con unos auriculares para iPhone.

¿Se pueden hacer videollamadas?

También puede hacer videollamadas con Skype utilizando las cámaras de su iPad pero, en ese caso, su interlocutor también deberá tener una cámara de vídeo conectada a su ordenador o utilizar también un iPad.

5. Al hacer una llamada, verá el estado en que se encuentra, el tiempo transcurrido y los botones para silenciar y retener la llamada.

6. Pulse este botón para colgar.

PEGAR NOTAS EN LA PANTALLA DE INICIO O DE BLOQUEO

Puede que su pantalla de inicio y de bloqueo sean muy bonitas pero, ¿son útiles? Hay una aplicación cuya intención es dotarlas de más utilidad, permitiéndole pegar notas en ellas. Busque por Stick It en la App Store y añádala a su colección de aplicaciones.

1. Busque por Sticky Notes HD en la App Store. Instálela y ábrala.

2. Pulse en + para crear una nota nueva. Puede que le pregunten si desea crear una nota pequeña (**Small**) o grande (**Large**). Elija una nota grande.

3. Escoja un color de la lista. Puede seleccionar también un tipo de nota diferente con forma de bocadillos, trozos de papel o incluso cuadros de texto sin formato.

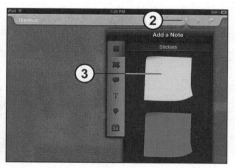

4. Escriba una nota utilizando el teclado en pantalla.

5. Pulse en **Done** (OK).

6. Arrastre la nota hasta una posición mejor.

7. Pulse en la esquina inferior izquierda para escoger una imagen de fondo.

8. Escoja un fondo de los botones **Library** (Biblioteca), **Colors** (Colores) o **Photos** (Fotos).

9. Pulse en **Done**.

10. Pulse el botón **Export** (Exportar).

11. Pulse en **Save to Camera Roll** (Guardar en Carrete).

12. Pulse en **Dismiss** (Cerrar).

13. Pulse su botón **Inicio** para volver a la pantalla de inicio y luego pulse el icono Fotos.

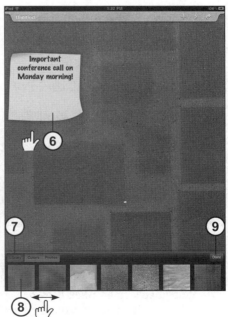

14. Localice la foto que acaba de hacer y pulse sobre ella.

15. Pulse en el botón de la flecha que sale de un cuadro.

16. Pulse en **Fondo de pantalla**.

17. Pulse en **Pantalla bloqueada**.

18. Pulse el botón **Reposo/Activación** de la parte superior de su iPad.

19. Pulse el botón **Inicio**.

20. Ahora en su pantalla de inicio se verá el fondo con la nota pegada.

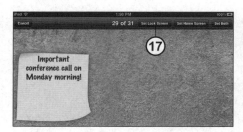

La aplicación no puede hacerlo todo

Aunque la aplicación Stick It es muy buena para crear fondos con notas pegadas, no puede convertirlos en los fondos de las pantallas de bloqueo o inicio. De eso se tendrá que encargar usted utilizando la aplicación Fotos o los ajustes de Brillo y fondo de pantalla de la aplicación Ajustes.

Información de contacto de emergencia

Otro posible uso de esta aplicación es incluir rápidamente en la pantalla de bloqueo su información de contacto de emergencia. Puede poner el número de teléfono y las instrucciones en caso de una llamada de emergencia, o el número de teléfono al que le pueden llamar por si extravía el iPad.

CREAR NOTAS MULTIMEDIA EN LA NUBE CON EVERNOTE

Una de las aplicaciones más populares para mejorar la productividad en iPad e iPhone, así como en PC y Mac, es Evernote. En esencia, es como la aplicación Notas que viene con su iPad, pues le permite crear notas de texto para sincronizarlas con sus dispositivos.

Pero Evernote posee varias funcionalidades avanzadas que se han ganado el cariño de sus usuarios. En primer lugar, puede grabar audio fácilmente, tomar fotos y añadirlas a sus notas. Segundo, es independiente de un servicio de correo de electrónico, como iCloud o Gmail. Y, en tercer lugar, existen clientes de Evernote para casi todos los ordenadores y dispositivos. Incluso puede visualizar sus notas en una interfaz Web si lo necesita.

1.   Busque por Evernote en la App Store e instálela.

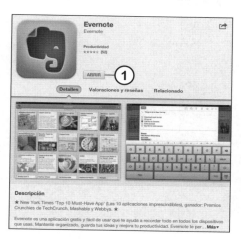

2. Si no ha utilizado nunca Evernote, puede crearse una nueva cuenta desde su iPad. Las cuentas básicas son gratuitas.

3. Si ya dispone de una cuenta de Evernote, sólo tiene que introducir su ID y contraseña para acceder.

4. La pantalla principal le mostrará sus notas. Pulse en una nota para visualizarla.

5. Pulse aquí para crear una nota nueva.

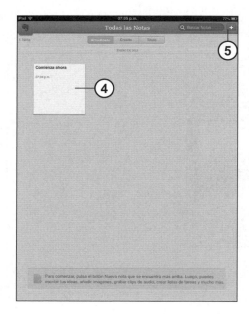

6. Pulse en el área del título para escribir un nombre para la nota.

7. Pulse en el cuerpo del área para escribir un texto en la nota.

8. Puede pulsar en el botón de la foto en cualquier momento para hacer una foto con su iPad y añadirla a la nota en la posición actual del cursor. El botón que hay junto a ella le permite seleccionar una foto de su biblioteca de fotos.

9. Pulse en el botón del micrófono de Evernote para grabar un recordatorio de voz o simplemente grabar el sonido ambiente.

10. Puede dar formato a los textos con diversos controles e incluso crear casillas de verificación y listas.

11. Pulse en este botón para obtener la información de la nota.

12. Puede añadir etiquetas a las notas para organizarlas mejor.

13. Si se lo permite, las notas incluirán la información de la ubicación en la que se encontraba cuando creó la nota.

14. Puede compartir las notas por Facebook, Twitter y correo electrónico o imprimirlas.

15. Puede buscar dentro del contenido de las notas.

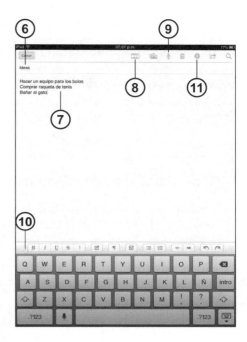

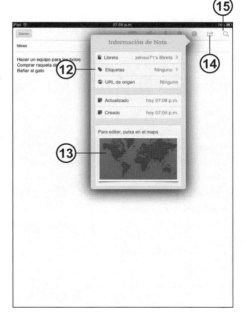

El auténtico poder de Evernote reside en el modo en que se sincroniza rápidamente por vía inalámbrica a través de Internet. Por ejemplo, puede utilizarlo para escribir notas, grabar audio y hacer fotos con su iPad mientras está fuera de la oficina, de modo que se encuentre con todo ello en su PC o Mac cuando regrese a su escritorio. La funcionalidad de hacer fotografías se utiliza muchas veces para hacer capturas de notas tomadas en una servilleta o la información que hay en la caja de un producto.

¿Quiere grabar audio mientras toma notas?

Si quiere grabar audio y tomar notas al mismo tiempo, pruebe la aplicación SoundNote. Puede teclear el texto con el teclado y dibujar con su dedo mientras se graba el audio. Recordará dónde se registró el audio de cada palabra, de modo que podrá pulsar sobre una palabra para escuchar los sonidos de ese preciso momento.

Otra aplicación que hace esto es Circus Ponies NoteBook. Puede escribir texto, dibujar, hacer fotos, etc. Puede activar la grabación de audio para que cada línea de su nota vaya asociada a una parte de la grabación. Esto le permite asistir a una ponencia o reunión y tomar notas de manera que pueda escuchar el audio que coincide con cada parte de su nota. ¡Ojalá hubiera tenido algo así en la universidad!

TOMAR NOTAS A MANO

¿Qué le parecería utilizar la pantalla táctil de modo que su iPad reconociese lo que escribe a mano en vez de tener que teclear en el teclado en pantalla? La aplicación WritePad le permite tomar notas tecleando o utilizando la pantalla para escribir con su dedo.

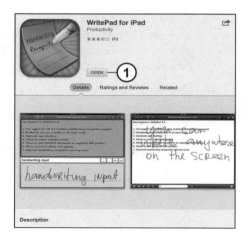

1. Localice WritePad en la App Store e instálela.

2. Pulse en el botón **Mis Documentos** para ver sus documentos actuales.

3. Pulse en + para iniciar un documento nuevo.

4. Puede crear carpetas para organizar sus documentos si lo desea.

5. Pulse en la pantalla y arrastre la punta de su dedo para utilizarla como una pluma o un lápiz. Empiece en la esquina superior izquierda. Puede utilizar letras separadas, cursivas o una mezcla de ambas.

¿Busca una aplicación distinta para escribir a mano?

Si lo que busca es tener una aplicación excelente que simplemente le permita escribir y dibujar en la pantalla, pruebe Penultimate, con la que podrá crear cuadernos en los que escribir dibujando con su dedo. También puede marcar documentos PDF e introducir textos utilizando el teclado en pantalla.

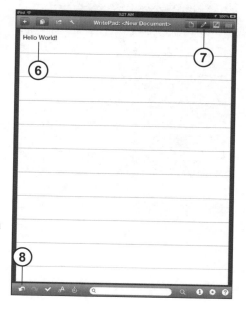

6. Deje de escribir y espere a que se procese el texto. Cuando termine, verá que el texto aparece en el punto en el que se encuentra el cursor.

7. Pulse los botones de la esquina superior derecha para cambiar entre los modos Lectura, Escritura y Teclado.

8. Pulse el botón **Undo** para deshacer el último texto procesado.

EPICURIOUS

Uno de los usos que se les daba a los primeros ordenadores personales era almacenar y recordar recetas de cocina. Gracias a Internet, también podemos compartir estas recetas. Y ahora, con el iPad, por fin tenemos un modo de llevarnos fácilmente estas recetas a la cocina para prepararlas. Epicurious es nuestra aplicación favorita para cocinar.

1. Busque por Epicurious en la App Store. Descárguesela y ábrala.

2. Pulse en **Control Panel** (Panel de control) para ver una lista de las secciones destacadas.

3. Utilice el cuadro de búsqueda para buscar recetas.

4. Pulse en una de las secciones.

5. Pulse en una receta.

6. Verá una lista de los ingredientes que necesita.

7. Y ya sólo tiene que seguir la receta. ¡Ojalá cocinar fuera igual de fácil! ¡Buen provecho!

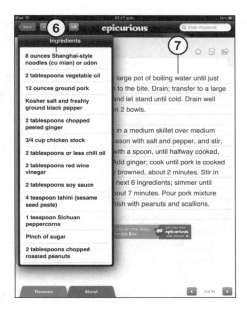

OTRAS APLICACIONES ÚTILES

Hay tantas aplicaciones útiles en la tienda que es imposible cubrirlas todas en un libro. Vamos a hacer una breve mención de otras que quizá le interese examinar. Algunas son gratuitas, y otras de pago.

▶ **SketchBook Pro:** Esta aplicación de dibujo le permite pintar con sus dedos. Algunos artistas profesionales la han utilizado para crear algunas obras increíbles. Échele también un vistazo a **Brushes**, **ArtStudio** y la aplicación gratuita **Adobe Ideas**.

▶ **1Password:** Los usuarios de Mac ya conocen la popular 1Password para Mac. La versión para iPad no está integrada con Safari pero le proporciona un lugar seguro en el que guardar las contraseñas y otros datos importantes.

▶ **Things:** Si lo que le interesan son las aplicaciones para mejorar la productividad y las listas de tareas a hacer, pruebe **Things**. Es la mejor de las aplicaciones de listas de tareas para iPad. Pruebe también **Wunderlist**.

- ▶ **Bento 4 para iPad:** Si necesita crear bases de datos, pruebe Bento. Es una potente herramienta de bases de datos que puede utilizar para fines totalmente profesionales o para llevar un registro de los DVD de su colección.

- ▶ **MindNode:** Si utiliza aplicaciones de mapas mentales para organizar sus ideas y planificar proyectos, se alegrará de saber que existe una herramienta bastante avanzada para hacer esto en el iPad.

- ▶ **OmniGraffle:** Si necesita crear organigramas o si le gustaría utilizar gráficos para planificar proyectos, pruebe la versión para iPad de esta popular herramienta gráfica.

- ▶ **WordPress:** La aplicación oficial de WordPress le permite escribir, editar y mantener las publicaciones de su blog. Sirve tanto para el servicio de blogs de `WordPress.com` como para los blogs de WordPress alojados en sitios independientes.

- ▶ **StarWalk:** Una aplicación imprescindible para todo aquel que tenga interés en la astronomía, por mínimo que sea. Incluso aunque no sea su caso, las hermosas representaciones del cielo nocturno en su iPad, actualizadas al minuto, impresionarán a sus amistades. Le muestra el aspecto que tiene el cielo ahora mismo, cualquiera que sea el sitio en el que se encuentre, y utilizarlo como guía para identificar lo que se ve. Pruebe también **Los Elementos: Una exploración visual**, que le presenta la tabla periódica de un modo muy atractivo.

- ▶ **Wolfram Alpha:** ¿Le gustaría comparar datos demográficos, ver la estructura molecular del ácido sulfúrico o calcular la cantidad de sodio de su desayuno? ¿Se puede creer que hay una aplicación que hace estas tres cosas y tiene además cientos de respuestas interesantes para todo tipo de preguntas? Es también el motor que hay detrás de muchas de las respuestas de la funcionalidad Siri del iPhone, así que ya tiene un poco de Siri en su iPad.

- ▶ **USA Today:** Mientras otros periódicos nacionales siguen aferrados a modelos de pago, USA Today se puede leer gratuitamente y le ofrece un buen resumen de lo que pasa en el país. Si prefiere un punto de vista más europeo, la aplicación **BBC News** también le ofrece noticias y muchos vídeos.

- ▶ **The Weather Channel Max+:** Si lee las noticias en su iPad, es posible que también mire ahí el tiempo. Esta aplicación lo abarca todo, con mapas, predicciones, la situación actual e incluso vídeos. Aunque en la tienda hay otras muchas aplicaciones de este tipo; pruebe también **Weather HD**.

Objetivos:

En este capítulo nos ocuparemos de las aplicaciones cuyo fin es que el usuario se entretenga, ya sea leyendo cómics, creando música o jugando.

Componer música con GarageBand

Game Center

Juegos y otros entretenimientos para iPad

Suscribirse a revistas con el Quiosco

17. Juegos y entretenimiento

Aunque el iPad le permite visualizar mucha información y hacer buena parte de su trabajo, también es un magnífico dispositivo para el esparcimiento. La mayoría de las aplicaciones pensadas para los ratos de ocio del usuario son juegos, aunque también vamos a comentar algunas otras de uso más genérico.

COMPONER MÚSICA CON GARAGEBAND

Es difícil resumir GarageBand en unas pocas páginas. Pese a ser el hermano pequeño de la aplicación GarageBand para Mac, se trata de una gran aplicación a la que casi podríamos dedicar un libro entero. Veamos cómo se crea una canción sencilla.

1. Adquiera GarageBand en la App Store e instálela. Ábrala desde la pantalla de inicio. En el capítulo 15 encontrará instrucciones sobre cómo encontrar y descargar aplicaciones.

2. Si es la primera vez que utiliza GarageBand, puede saltar directamente al paso 3. Si no, verá la lista de las canciones que ha creado. Pulse en el botón + y luego en **Nueva canción**.

3. Ahora puede escoger el instrumento con el que desea empezar. Elija el teclado.

4. Pulse en las teclas para reproducir las notas. El sonido exacto dependerá de la fuerza con la que pulse las teclas y el lugar en que lo haga.

5. Pulse el botón del instrumento y haga un barrido a izquierda o derecha para cambiar el Grand Piano por otro de los muchos instrumentos que puede elegir.

6. Pulse el botón de grabación para grabar lo que está tocando. El metrónomo hará una cuenta atrás; espere un compás antes de empezar. Para probar, toque sólo unas pocas notas, un par de compases.

7. Pulse este botón cuando haya acabado de grabar.

8. Pulse el botón **Deshacer** si no le ha salido bien la melodía, y pruebe de nuevo.

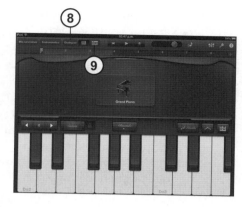

9. Cuando haya grabado un poco de música, aparecerá el botón **Ver**. Utilícelo para pasar a la vista de pistas.

10. En la vista de pistas se mostrará el fragmento musical que ha grabado. Pulse una vez sobre éste para seleccionarlo. Pulse de nuevo para mostrar un menú con las opciones **Cortar**, **Copiar**, **Eliminar**, **Bucle**, **Dividir** y **Editar**.

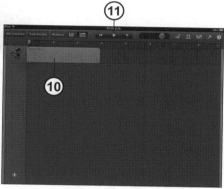

11. La música que ha grabado se puede reproducir ahora en bucle durante toda esta sección de la canción. Pulse en el botón **Reproducir** para probarla.

12. Pulse el botón **Bucle** para ver los bucles predefinidos que puede añadir a su canción.

13. Pulse en un instrumento para seleccionar el tipo de bucle que desea añadir.

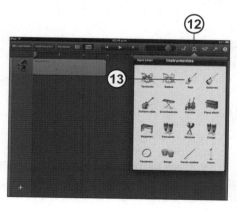

14. Puede filtrar la lista de bucles por Instrumento, Género o Descriptores.

15. Seleccione un bucle para probarlo. Puede hacer incluso que el bucle se reproduzca al mismo tiempo, pulsando el botón **Reproducir** de la parte superior y pulsando después sobre un bucle del menú Apple Loops para ver qué tal suenan juntos.

16. Arrastre un bucle de la lista hasta el área que hay justo bajo el bucle que ha creado.

17. Ahora tiene su bucle original y un bucle de bajo. Pulse en el botón **Reproducir** para escucharlos a la vez.

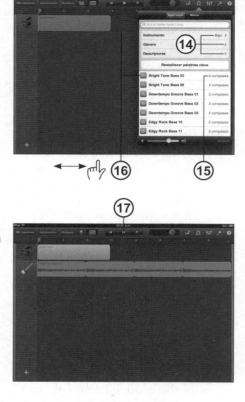

Puede seguir añadiendo bucles. Añada una percusión y una guitarra, si le apetece. También puede pulsar en el botón **Instrumentos** para volver a la vista de instrumentos y cambiar de instrumento o grabar más notas.

Aparte del piano, también puede tocar la guitarra, el bajo o la batería, y cada instrumento tiene sus propias variantes. Además, hay instrumentos inteligentes, como la Smart Guitar que sólo le permiten tocar notas y acordes que suenan bien juntos. En http://macmost.com/ipadguide/ encontrará más tutoriales sobre el uso de GarageBand para iPad.

Spotify

Además de utilizar su iPad para crear música, también puede escuchar a sus artistas favoritos utilizando la aplicación Spotify, que le permite encontrar y reproducir artistas, álbumes y canciones. Una suscripción a Spotify le permite acceder a toda su colección, que contiene la mayoría de la música grabada en las últimas décadas. La aplicación para iPad incluso le permite descargarse música mientras tenga una conexión Wi-Fi para poder escucharla más adelante.

GAME CENTER

Apple ha creado un único sistema unificado para las puntuaciones, los logros y las partidas con varios jugadores. Buena parte de los mejores juegos de la App Store han adoptado este sistema, llamado Game Center.

Su cuenta de Game Center es la misma que utiliza para comprar aplicaciones en la App Store. Una vez que haya accedido mediante la aplicación, ya no necesitará identificarse en ninguno de los juegos.

1. Pulse en la aplicación **Game Center** para abrirla. La aplicación viene con su iPad.

2. Introduzca su ID y su contraseña de Apple e inicie sesión.

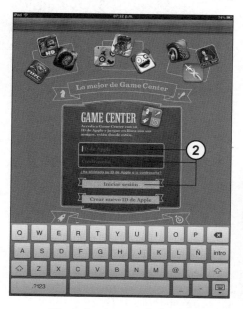

3. Verá el número de los juegos que tiene que se conectan con Game Center, junto al número de puntos que ha conseguido.

4. Pulse en **Amigos** para ver una lista de las personas con la que está conectado en Game Center. Puede retarles en algún juego.

5. Pulse en **Juegos** para ver sus puntuaciones y logros en cada juego.

6. En la lista de juegos puede ver cuáles son sus máximas puntuaciones. Pulse en uno de los juegos para conocer más detalles.

7. Puede ver una lista de las mayores puntuaciones de todo el mundo para compararlas con las suyas. Pulse en logros para ver cuáles ha conseguido y cuáles le faltan.

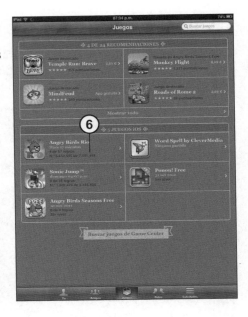

Muchas veces se pueden ver los logros y las puntuaciones máximas dentro de los propios juegos aunque pertenezcan al propio sistema de Game Center. Puede proponer una partida directamente a sus amigos o intentar superar sus puntuaciones.

JUEGOS Y OTROS ENTRETENIMIENTOS PARA IPAD

Aunque se haya comprado el iPad para estar conectado, realizar trabajos o ver vídeos, vale la pena que eche un vistazo al rico y maravilloso mundo de los juegos.

Gracias a la pantalla táctil y el acelerómetro, el iPhone y el iPod touch se han convertido en terreno abonado para los desarrolladores de juegos. Añada a esto la pantalla más grande del iPad y tendrá como resultado un dispositivo para juegos potente y único.

Vamos a echar un vistazo a algunos de los mejores juegos para iPad.

Air Hockey

A primera vista, este juego parece sencillo. Hay que controlar una raqueta moviendo el dedo por la pantalla, y se juega contra el ordenador, que es bastante competente.

Lo que tiene de especial es que se puede jugar contra un segundo jugador, situado al otro lado del iPad, colocándolo sobre una mesa y con los jugadores frente a frente. Esto es posible gracias a la pantalla Multi-Touch. El iPad necesita seguir la pista de los dos dedos sobre la pantalla, y lo hace a la perfección.

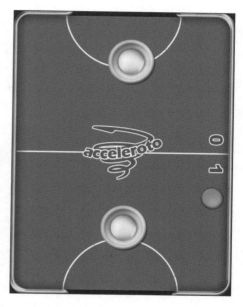

Highborn HD

¿Le gustan la estrategia y la aventura? Highborn HD es un juego de estrategia que le conduce por una historia de fantasía y magia. Se trata de desplegar varias unidades a lo largo de pequeños escenarios para conquistar todo el terreno o lograr objetivos.

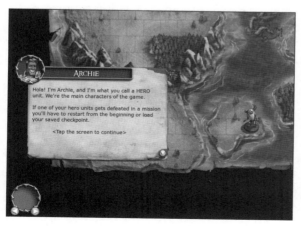

Lo que distingue a Highborn de otros juegos basados en la estrategia es su agudo sentido del humor. Le ayudará a recorrer el inevitable tutorial e incluso conseguirá que se lea todas las descripciones de las unidades.

Harbor Master HD

Uno de los tipos de juegos que aparecieron con el iPhone fueron aquellos en los que tenemos que dirigir elementos dibujando con el dedo. El primero fue un juego llamado Flight Control, que también está disponible en el iPad.

Harbor Master HD lleva este género un poco más allá. La idea es dirigir los barcos hacia los muelles indicando la ruta con el dedo y dibujando una línea desde el barco hasta el muelle para que el barco la siga.

El juego se vuelve más difícil conforme avanza, con cada vez más barcos descargando la mercancía y saliendo a navegar de nuevo. Deberá asegurarse de conducir cada barco a un muelle sin que colisionen entre sí.

Angry Birds HD

Mucha gente compra juegos para jugar en el iPad pero alguna gente se compra un iPad para jugar a un juego. En esos casos, el responsable suele llamarse Angry Birds HD.

Este juego consiste en disparar pájaros contra una estructura utilizando un tirachinas. Su objetivo es destruir los cerdos que viven en el edificio. Suena un poco raro pero, tras esta premisa, hay una buena simulación de las leyes de la física que ofrece un nuevo reto en cada nivel. Y ha dado lugar a algunas secuelas, como Angry Birds Seasons HD y Angry Birds Space HD.

Galcon Fusion

Galcon fue un enorme éxito en el iPhone, y no dejábamos de preguntarnos lo que mejoraría en una pantalla táctil más grande. Gracias a la versión para iPad, hemos salido de dudas. El objetivo de este juego es conquistar un pequeño conjunto de planetas utilizando naves. Tiene la apariencia de un juego de estrategia, y se debe utilizar para ganar, pero se juega como un arcade, porque lo único que tenemos que hacer es pulsar sobre las naves para arrastrarlas de un planeta a otro.

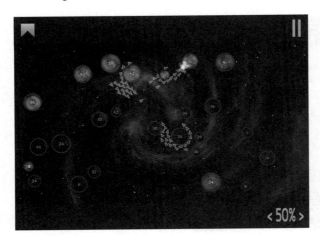

Plantas contra Zombies HD

Los zombis atacan su casa y tendrá que defenderla. ¿Qué se puede utilizar en este caso? Unas extrañas plantas luchadoras, como es lógico.

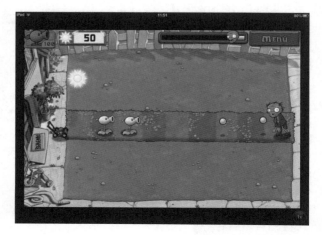

Suena raro, y lo es. Pero es un divertido juego de estrategia, que se juega como uno de esos juegos en los que hay que defender una fortaleza pero con simpáticos elementos de esos que encontramos en los juegos de 15 € para PC.

Monkey Island 2 Special Edition

Si ha jugado a este juego cuando era un éxito en el PC, se alegrará de saber que ha sido recreado para el iPad. Es la misma aventura pero con unos hermosos gráficos y sonidos.

Si nunca ha oído hablar de Monkey Island, no se lo piense. Este juego probablemente sea la obra cumbre de los juegos de aventura para ordenador y le puede proporcionar horas de diversión en las que se estrujará los sesos y se partirá de risa.

Scrabble para iPad

Mi juego favorito en el iPhone era Scrabble, que llega ahora a iPad con algunas características diferentes. Aparte de poder seleccionar como oponente al propio ordenador, un amigo de Facebook o de su red local, también puede jugar contra un amigo que esté en la misma habitación utilizando cada uno su respectivo iPhone.

Se puede descargar también la aplicación Tile Rack para iPhone y utilizar el iPad como tablero de juego principal, de modo que sus fichas sólo aparezcan en el iPhone.

Fieldrunners for iPad

Uno de los principales géneros de los juegos para dispositivos es la defensa de una fortaleza. En estos juegos tenemos que levantar muros y utilizar armamento para defendernos de las interminables avalanchas de las tropas enemigas. El mejor de estos juegos probablemente sea Fieldrunners.

Los enemigos salen de unos puntos específicos de los lados del escenario e intentan atravesarlo. Deberá dispararles antes de que lleguen al otro lado, y deberá escoger y colocar sus armas con cuidado porque sus recursos son escasos.

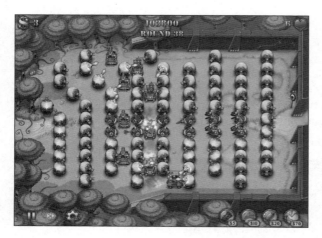

Real Racing 2 HD

Del acelerómetro se puede tener un uso mucho más avanzado, como puede ser dirigir un coche de carreras. Hay muchos juegos de carreras para el iPhone, y algunos han llegado hasta el iPad.

Real Racing HD es uno de ellos. Sus gráficos son excelentes y en sus partidas puede escoger detalles como el modo de la carrera, las opciones de los coches, etc. Está cerca de lo que ofrecen algunos juegos de carreras de las consolas en cuanto a características y gráficos.

Gold Strike

Me gustaría mencionar también aquí dos de mis propios juegos. Gold Strike fue primero un juego para navegador, después un juego para PC y finalmente un juego para iPhone. Cuando lo pruebe, coincidirá conmigo en que desde el principio su sitio estaba en el iPad; simplemente estaba esperando a que este dispositivo apareciese.

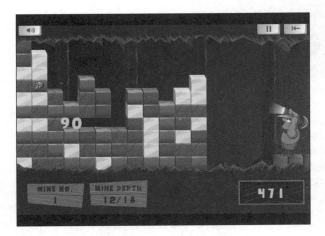

Se trata de pulsar sobre los grupos de bloques para extraerlos antes de que se llene la mina. Los bloques de oro le dan cinco puntos y, cuanto más grande sea el grupo, más puntos conseguirá. La versión para iPad incluye además algunas variantes que amplían el juego.

Word Spy

Word Spy es un juego de búsqueda de palabras en el que el objetivo es encontrar grupos de letras que formen una palabra. Cuanto más larga sea la palabra, más puntos conseguirá. En cada nivel deberá conseguir un determinado número de puntos para poder pasar al siguiente.

El juego tiene una variante mucho más difícil en la que hay que encontrar palabras concretas ocultas en la muestra de letras. Tanto Gold Strike como Word Spy son ejemplos de juegos populares para navegador que han pasado al iPad.

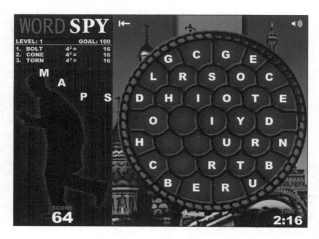

Comics

El iPad es una magnífica plataforma para leer cómics. La aplicación Comics (a veces llamada Comics+) es una de las muchas aplicaciones que le permiten comprar y leer cómics. Es de las que ofrecen la mejor calidad, e incluso le permite descargarse algunos cómics gratis para echarles un vistazo.

En la App Store puede encontrar decenas de cómics de calidad. Algunos incluso tienen su propia aplicación, como las aplicaciones Marvel Comics, Comics, DC Comics, IDW Comics, Comic Zeal y otras. La mayoría de las aplicaciones que le permiten descargarse varios ejemplares son gratuitas y le cobran por ejemplar descargado.

SUSCRIBIRSE A REVISTAS CON EL QUIOSCO

Su iPad lleva instalada una aplicación especial que es, en realidad, una carpeta de aplicaciones con una finalidad especial. Esta carpeta es el Quiosco. Tiene apariencia de estantería con revistas, suponiendo que la haya llenado con algunas publicaciones. Cuando instale la aplicación de alguna revista, normalmente se colocará automáticamente en la carpeta de su Quiosco. Para que esto ocurra, el desarrollador de la aplicación deberá enviarla a Apple como aplicación del quiosco, por lo que quizá observe que algunas aplicaciones se comportan como aplicaciones normales y no acaban en el Quisco.

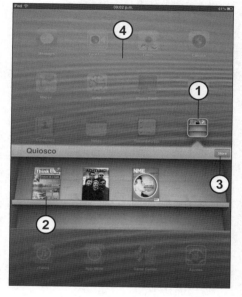

1. Pulse en el icono del Quiosco para abrir la carpeta de aplicaciones de revistas.

2. Pulse sobre una revista para ejecutar la aplicación. Lo que encuentre cuando ejecute la aplicación dependerá del desarrollador de la aplicación. Normalmente verá una lista de los ejemplares que se ha descargado, más ejemplares que se puede descargar gratis o pagando y, en ocasiones, la posibilidad de "suscribirse" para conseguir los ejemplares de todo un año o más por un único pago.

3. Pulse en **Store** para ir a la App Store. Este botón es básicamente un atajo a la sección Quiosco de la App Store, a la que también puede llegar abriendo la aplicación App Store y accediendo a esta sección.

4. Pulse fuera de la carpeta del quiosco para cerrarlo.

Zinio

Aunque algunas revistas tienen sus propias aplicaciones, puede encontrar muchas otras dentro de una aplicación llamada Zinio. Es una especie de repositorio con cientos de revistas que se publican en un formato estándar. Puede consultar artículos de ejemplo gratuitos para elegir qué revistas desea comprar, ya sea en ejemplares sueltos o mediante suscripción. Puede comprar incluso algunas revistas asiáticas que son difíciles de encontrar en España.

Objetivos:

En este capítulo utilizaremos algunos accesorios opcionales, como fundas, cargadores, teclados y adaptadores.

Imprimir desde el iPad mini.

iPad mini Smart Cover.

Cargadores y cables.

Adaptadores de salida de vídeo.

Teclado inalámbrico Apple.

Adaptadores para tarjeta SD y USB.

18. Accesorios del iPad mini

Los muchos accesorios disponibles para su iPad mini tiene funciones muy diversas, como realizar tareas, protegerlo o simplemente mejorar su aspecto.

Puede que ya haya comprado algunas cosas para su iPad, como impresoras o teclados inalámbricos. Veamos a continuación algunos accesorios y cómo se utilizan.

IMPRIMIR DESDE EL IPAD MINI

Algún tiempo después del lanzamiento del primer iPad, Apple añadió la impresión inalámbrica al sistema operativo iOS, y la llamó AirPrint. Con ella puede imprimir una página Web o un documento directamente desde su iPad a través de su red inalámbrica.

¿Cuál es la pega? Que sólo funciona con las impresoras más recientes, las que trabajan con AirPrint. Por suerte, esta lista crece con rapidez y ahora incluye impresoras de muchas empresas. Puede encontrar una lista actualizada en http://support.apple.com/kb/ht4356.

Suponiendo que tenga una de estas impresoras y la haya configurado en su red local, vamos a ver un ejemplo de cómo debería imprimir utilizando la aplicación Pages.

1. En Pages, abra el documento que desea imprimir y pulse en el botón de la llave inglesa.

2. Pulse en Share and Print (Compartir e imprimir).

3. Pulse en Print (Imprimir).

4. Si es la primera vez que utiliza esta impresora en particular, deberá añadirla a la lista de impresoras del iPad. Pulse en Select Printer (Seleccionar impresora).

5. Si la impresora está encendida y configurada para trabajar con su red, debería aparecer en la lista. Pulse sobre ella para seleccionarla.

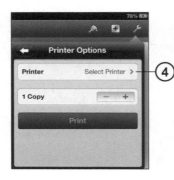 

6. Ahora la opción mostrará también el nombre de la impresora.

7. Pulse en Range (Rango) para especificar el rango de páginas a imprimir, o deje All Pages (Todas las páginas).

8. Pulse aquí para definir el número de copias a imprimir o déjelo en una copia.

9. Pulse en el botón **Print** (Imprimir) para enviar el documento a la impresora.

En este punto, su iPad iniciará un Print Center (Centro de impresión) especial. Puede que no se percate de ello a menos que haga una pulsación doble en el botón de **Inicio** para mostrar la lista de aplicaciones en ejecución.

10. Haga una pulsación doble sobre el botón de inicio para mostrar la lista de aplicaciones recientes.

11. Pulse en el icono del Print Center para mostrar un menú del estado del proceso.

12. En este menú podrá ver el estado del proceso de impresión y otros datos.

13. Pulse en **Cancel Printing** (Cancelar impresión) para parar la impresión.

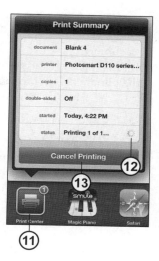

En otras aplicaciones puede ser diferente

El modo de iniciar la impresión puede ser diferente dependiendo de la aplicación. En Safari, por ejemplo, se emplea el mismo botón de la parte superior de la pantalla empleado para marcar una página como favorita. Verá **Imprimir** como una de las opciones. En la aplicación Fotos es el mismo botón que le permite enviar una foto por correo electrónico, entre otras cosas.

Cómo saltarse AirPrint

Aunque no todas las impresoras Wi-Fi trabajan con AirPrint, hay un modo de saltarse esa limitación. Algunos desarrolladores externos han sacado un software para Macs que configura una impresora conectada al Mac como una impresora AirPrinter. Aunque no se imprime directamente en la impresora, pues se pasa a través del Mac, puede ser una buena opción en algunos casos. Busque en Internet por los programas Printopia, FingerPrint o AirPrint Activator para Mac.

IPAD MINI SMART COVER

Una cubierta es sólo una cubierta, ¿verdad? Pero Apple no fabricaría "sólo una cubierta" para el iPad mini. Lo que han hecho es una "cubierta inteligente" que utiliza imanes para tapar la parte frontal del iPad mini sin ocultar el resto del diseño. Y es totalmente funcional, pues también hace de soporte.

1. La cubierta utiliza imanes para coincidir con la parte frontal de su iPad y protegerla.

2. Al separar la cubierta ocurrirán dos cosas: que el revestimiento limpiará un poco la pantalla y que el iPad saldrá del estado de reposo.

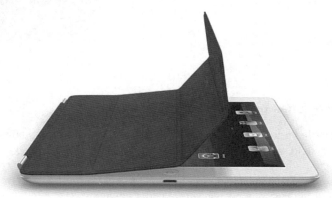

(Cortesía de Apple Inc.)

3. Doble la cubierta totalmente hacia atrás hasta que forme un triángulo y eleve un lado del iPad para poder escribir.

(Cortesía de Apple Inc.)

4. Dele la vuelta al iPad, para que se apoye contra la cubierta que hemos convertido en triángulo para elevar el iPad y utilizarlo para ver vídeos o hablar por FaceTime.

(Cortesía de Apple Inc.)

Los hay en varios colores

Puede adquirir la Smart Cover en seis colores. Además, gracias a los imanes que lleva el iPad, seguro que en el futuro aparecerán en el mercado más modelos de otros fabricantes.

CARGADORES Y CABLES

Un usuario avanzado de cualquier dispositivo suele comprar cargadores y cables adicionales. Por ejemplo, quizá desee cargar su iPad en casa y en el trabajo. Acordarse de llevar el adaptador siempre consigo no es la mejor solución, porque es fácil olvidárselo.

Puede comprar un segundo cargador y cable con conector USB de Apple, equivalentes a los que vienen con su iPad, e incluso utilizarlos para sacar el sonido por unos altavoces externos.

Estos son algunos elementos que podrían interesarle:

▶ **Adaptador de corriente USB de 12 W de Apple:** Un adaptador de corriente de 12 vatios carga el iPad a toda velocidad, más rápido que un cable USB normal. Necesitará también hacerse con un adaptador de conector Lightning a USB para conectarlo a su iPad. Si no, podría utilizar el que viene con su iPad mini siempre que se acuerde de llevarlo consigo, aunque la mayoría de la gente que se compra un segundo cargador también suele adquirir un segundo cable.

▶ **Adaptador de conector Lightning a USB:** Si lo único que quiere es un cable adicional para conectar su iPad a un PC o Mac para sincronizarlos y que se cargue lentamente. Actualmente hay muchos coches y algunos sitios públicos, como los aeropuertos, que disponen de tomas de corriente en las que puede utilizar este cable o el que viene con su iPad. Siempre es bueno tener un cable de sobra pues si pierde el único que tiene, no podrá cargar su iPad.

▶ **Cargador para coche:** Si desea cargar su iPad en su coche, consiga un cargador para coche. Hay varios disponibles: el Griffin ,olt, el Kensington PowerBolt Micro y el de Incase, que también fabrica un cargador "dual" que sirve tanto para tomas de corriente como para coches. Cerciórese de que el cargador que compra coincide con el conector Kightning de la parte inferior de su iPad mini. Sin embargo, hay muchos cargadores que utilizan un conector USB permitiéndole conectar cualquiera de los dos cables, siempre y cuando tenga su propio cable Lightning.

Cargador para
coche Incase Mini

No todos los cargadores son iguales

Su iPad necesita una corriente extra para cargarse adecuadamente. Con el cargador que viene con su iPAd, un modelo de 10 o 12 vatios, debería cargarse completamente pasadas unas 4 horas. Pero, con el cargador de un iPhone, o si lo engancha al puerto USB de máxima potencia de un ordenador, tardará el doble de tiempo porque tiene 6 vatios. Los puertos USB de baja potencia de algunos ordenadores no conseguirán cargar el iPad.

ADAPTADORES DE SALIDA DE VÍDEO

Si desea mostrar la pantalla, o algún vídeo o presentación de su iPad mini, necesitará utilizar un cable o una Apple TV. Apple vende varios cables adaptadores que envían vídeo a un monitor, una televisión o un proyector.

Adaptador de conector Lightning a VGA

El adaptador de conector Lightning a VGA se conecta a un lado del puerto del dock de la parte inferior de su iPad. El otro extremo es un puerto VGA que se conecta a un cable VGA que se puede conectar a un monitor o proyector.

Aunque el iPad original sólo puede mostrar películas, presentaciones y diapositivas, el iPad mini puede utilizar este adaptador para mostrar casi cualquier cosa que aparezca en la pantalla.

1. Conecte el adaptador de conector Lightning a VGA al puerto del dock de su iPad.

2. Conecte el otro extremo del adaptador a un cable VGA estándar.

3. Conecte el otro extremo del cable VGA a un monitor o proyector que acepte una conexión VGA.

4. Utilice un mini jack de audio para conectar la salida de auriculares del iPad a la línea de entrada del proyector. El tipo exacto del cable que hace falta para esto dependerá de la entrada de audio que utilice el proyector.

(Cortesía de Apple Inc.)

5. Llegados a este punto, la imagen del proyector o monitor debería ser exactamente la misma que la del iPad. Puede que algunas aplicaciones se muestren algo diferentes en la pantalla del iPad y en la salida externa. Por ejemplo, Keynote muestra la presentación en la salida externa y la presentación más los controles en la pantalla del iPad.

Adaptador de conector Lightning a AV digital

Se trata de un conector HDMI que le permite conectarse directamente a las televisiones y los proyectores más recientes que tengan un puerto HDMI. Además, podrá conectar al mismo tiempo el HDMI y otro cable dock para poder mantener cargado el iPad.

Las conexiones HDMI le proporcionan una mayor calidad que los adaptadores VGA, si bien aunque la mayoría de las televisiones modernas tienen entrada HDMI, sigue siendo raro verlas en los proyectores de las escuelas y empresas. Los adaptadores HDMI se utilizan del mismo modo que los VGA; muestran lo mismo que hay en la pantalla, excepto en casos como el de Keynote.

Compatibilidad con TV

El vídeo que procede del iPad es compatible con televisiones HD de 720 p y 1080 p y dispositivos de vídeo. El cable HDMI también transmite el sonido. Hay muchas televisiones que sólo soportan 1010 i, no 1080 p. En tales casos, puede que el vídeo se vea en 720 p.

(Cortesía de Apple Inc.)

AirPlay en Apple TV

Puede que la Apple TV de segunda de generación, la que parece una pequeña caja negra, sea el mejor de todos los accesorios para iPad. Le permite reproducir la pantalla del iPad igual que hacen los cables VGA y HDMI pero por vía inalámbrica utilizando la red Wi-Fi local y algo llamado *AirPlay mirroring*.

1. Compruebe que tanto su iPad como su Apple TV están conectados a la misma red local.

2. Compruebe que tanto su iPad como su Apple TV están actualizados. Si utiliza versiones antiguas o diferentes del software de los dispositivos, puede que AirPlay no funcione.

3. Active AirPlay en su Apple TV. Para ello, acceda a Settings>AirPlay y actívelo.

(Cortesía de Apple Inc.)

4. En su iPad, haga una pulsación doble en el botón de inicio para mostrar la lista de aplicaciones recientes en la parte inferior de la pantalla.

5. Haga un barrido de izquierda a derecha para acceder a los controles multimedia.

6. Pulse en el botón **AirPlay**.

7. Seleccione en qué Apple TV desea mostrar la pantalla de su iPad.

Para detener la reproducción de AirPlay, siga los pasos del 4 al 7 seleccionando el iPad en lugar de la Apple TV.

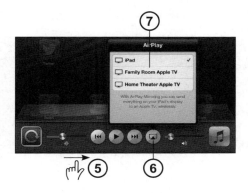

Puede que le valga la pena pagar los 112 € de la Apple TV sólo como accesorio para su iPad aunque este dispositivo incluye otras características, como el alquiler de películas de iTunes, las aplicaciones YouTube y Hulu o el streaming para iTunes en PC y Mac.

Reproducción imposible

Observará que algunas aplicaciones no se reproducen en su Apple TV. Determinadas aplicaciones de streaming tienen restringida esta funcionalidad a propósito, por cuestiones de licencia y de otra índole, por lo que quizás no pueda utilizarla con las aplicaciones de algunos canales de televisión.

TECLADO INALÁMBRICO APPLE

Si tiene mucho que escribir y puede sentarse delante de un escritorio, puede utilizar el teclado Bluetooth de Apple con su iPad mini. Es el mismo teclado inalámbrico que se utiliza con los Mac.

1. Antes de conectarse al teclado, compruebe que tiene pilas suficientes.

(Cortesía de Apple Inc.)

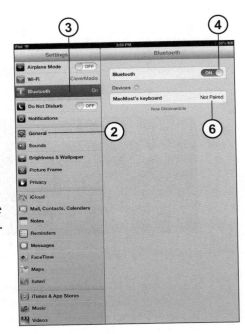

2. Acceda a la aplicación Ajustes de su iPad y pulse en General en el lado izquierdo.

3. Pulse en Bluetooth para acceder a los ajustes del Bluetooth.

4. Active el Bluetooth, en caso de que no lo esté.

5. Active su teclado inalámbrico pulsando el botón de su lado derecho. Debería ver que se enciende una pequeña luz verde en la esquina superior derecha de la superficie principal del teclado.

6. Tras un par de segundos, en la pantalla de su iPad debería aparecer el nombre del teclado. Pulse sobre ella donde pone Not Paired.

Cómo elegir el teclado inalámbrico adecuado

Si tiene un teclado inalámbrico de Apple antiguo, puede que no funcione con su iPad. La Apple Store advierte de que sólo los teclados más recientes se podrán conectar al iPad y, por lo que cuenta la gente que tiene teclados más antiguos, así es en efecto. Sin embargo, tampoco tiene por qué escoger necesariamente el teclado inalámbrico de Apple. La mayoría de los teclados Bluetooth funcionan bien en el iPad. En su tienda favorita de Internet encontrará todo tipo de teclados Bluetooth inalámbricos. Consulte las reseñas para ver si alguien cuenta que ha probado el teclado con un iPad.

7. Se mostrará un mensaje que contiene un código de cuatro cifras. Escríbalo en su teclado y pulse la tecla **Intro**.

8. Una vez establecida la conexión, debería ver la palabra Connected junto al nombre de su teclado.

9. Una vez conectado, el iPad utilizará por defecto el teclado físico automáticamente, en vez de mostrar el teclado en pantalla. Si desea utilizar de nuevo éste último, puede desconectar o apagar su teclado inalámbrico o pulsar en cualquier momento el botón de expulsión que hay en la esquina superior derecha del teclado.

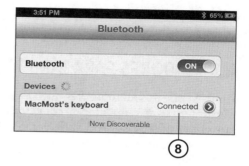

Teclas especiales

El teclado inalámbrico de Apple no se creó para el iPad, ya existía antes. Pero el iPad reconoce muchas de sus teclas especiales y las utiliza de maneras diversas.

▶ Brillo (**F1** y **F2**): Cambian el brillo de la pantalla del iPad.

▶ Volumen (**F10**, **F11** y **F12**): Silencian, bajan y suben el volumen, respectivamente.

▶ Expulsión (a la derecha de **F12**): Muestra u oculta el teclado en pantalla.

▶ Flechas: Se desplazan por el texto editable.

▶ Flechas + **Mayús**: Selecciona el texto editable.

▶ Comando: Se puede utilizar junto a **X**, **C** y **V** para copiar, copiar y pegar dentro del texto editable.

▶ Teclas de reproducción de audio (**F7**, **F8** y **F9**): Pista anterior, reproducción/ pausa y pista siguiente.

El tamaño importa

Recuerde que cada una de las versiones del iPad es físicamente diferente. El
iPad original y el iPad 2 tienen formas diferentes. Los de 3ª y 4ª generación son
ligeramente más grandes que el iPad 2. La 4ª generación tiene un tipo diferente
de dock en la parte inferior. Obviamente, el iPad mini es mucho más pequeño
que todos éstos. Escoja cuidadosamente el producto y cerciórese de que va bien
con su dispositivo.

ADAPTADORES PARA TARJETA SD Y USB

Apple vende dos adaptadores que sirven para conectar una cámara al iPad mini.
El primero es el adaptador de conector Lightning a lector de tarjetas SD, con el
que podrá utilizar su iPad para leer tarjetas SD. El segundo es el adaptador de
conector Lightning a USB para cámaras que le permite conectar su cámara y
otros dispositivos directamente a su iPad.

1. Conecte cualquiera de estos dos adaptadores al puerto del dock de su
    iPad.

2. Conecte su cámara utilizando el cable USB que viene con ésta o
    introduzca la tarjeta SD en
    el lector. Si va a conectar una
    cámara, probablemente tenga que
    encender la cámara y ponerla en
    el mismo modo empleado para
    pasar imágenes a su ordenador.

3. Tras un breve retardo, debería
    abrirse la aplicación Fotos y las
    imágenes de la cámara o tarjeta
    deberían verse en la pantalla de
    su iPad. Pulse en **Import All**
    para importar todas las fotos de la
    tarjeta.

4. Pulse en el botón **Delete All** si lo
    que quiere es borrar las imágenes
    sin llegar a importarlas a su iPad.

5. Si no desea importar o borrar todas las imágenes, pulse en una o varias de ellas para seleccionarlas.

6. Pulse en **Import**.

7. Pulse en **Import Selected** para traerse sólo las fotos seleccionadas.

8. Después de importar las fotos, se le ofrecerá la posibilidad de borrarlas de la cámara o tarjeta. Pulse en **Delete** para eliminarlas.

9. Pulse en **Keep** para dejar las imágenes en la cámara o tarjeta.

Algo más que sólo cámaras

El adaptador de conector Lightning a USB para cámaras se puede utilizar para conectar más cosas, aparte de cámaras y tarjetas SD, como cascos con micrófono integrado, que puede utilizar conjunta o separadamente. También puede conectar teclados USB de bajo consumo. El lector de tarjetas SD se puede utilizar para transferir vídeos e imágenes, por lo que puede utilizarlo para reproducir películas almacenadas en tarjetas SD.

Transferir de cámara a iPad por vía inalámbrica

Con la tarjeta Eye-fi (`http://www.eye.fi`) puede hacer fotos con su cámara digital y transferirlas por vía inalámbrica a su iPad. Incluso puede hacerlo mientras sigue haciendo fotos. La tarjeta se instala en la cámara y funciona como una tarjeta SD normal pero también contiene un pequeño transmisor inalámbrico. Para conectar la tarjeta al iPad, se utiliza una aplicación gratuita. Cuando haga una fotografía, ésta aparecerá en su iPad.

Índice alfabético